JN042376

ちくま新書

文学部の逆襲

——人文知が紡ぎ出す人類の「大きな物語」

波頭 亮
Hatoh Ryo

1603

文学部の逆襲――人文知が紡ぎ出す人類の「大きな物語」【目次】

まえがき

今は、時代が変わる時だと感じる。

資本主義は近年わたしたちを豊かにしていない。繁栄するのは大企業と富裕層ばかりで、わたしたちの所得は減り続け税金が増えていく一方である。

民主主義は近年わたしたちが望む政治を実現できなくなっている。増税が続き、社会保障が削られて、格差と貧困が広がっていくばかりの世の中を望んで一票を投じている者なぞだれ一人いない。

こうした流れはもう20年以上続いている。

産業革命以降２００年以上にわたって人々を豊かにして来た資本主義と民主主義が、ともに本来の機能を失っている。

社会の仕組みと世の中を回す方法論は、人々が豊かになり、自由に生きるために、選択されなければならない。従って、ほとんどの人々にとって豊かさも自由も増えない社会の仕組みと方法論は価値が無い。

本来の機能を失い、価値を無くした道具は捨てるしかない。壊れて使えなくなった道具を無理に使っていると、包丁でも自転車でも怪我をするばかりである。

今は人々の自由と豊かさを生み出すことができる新しい仕組みと方法論によって社会を立て直すべき時なのである。

本書ではまず、経済と政治と歴史の話をする。資本主義と民主主義はどのような条件が整い、どのように運営されれば人々に豊かさと自由を供することができるのか、そしてどのような理由と、どのような径路でその機能を喪失してしまったのかについて示す。

次に、今こそ時代を変えることができる時が到来しているという事実を示す。ここはテクノロジーと思想の話になる。

社会の仕組みと方法論はテクノロジーによって基礎的条件が設定され、思想・価値観によって設計される。

人間は農業によって定住を始め、文字を発明して知識を集約することができるようになり、内燃機関と電力を活用して圧倒的に大量の財貨を産出することが可能になった。そして人間は自由と豊かさを享受して来た。こうした自由と豊かさはテクノロジーが物理的条件を規定し、その条件に適合した思想・価値観によって実現されて来たのである。

このように、新しいテクノロジーの発明は新しい思想・価値観と相まって自由と豊かさのステージを上げることができる。

今、AIというテクノロジーが勃興(ぼっこう)して来ている。内燃機関と電力が人間を力仕事から解放してくれたように、AIは情報作業を肩代わりしてくれる。あと20年もすれば、現在人間が行っている仕事の半分以上はAIでできるようになる。人間は今の半分も働けば今と同じ財貨やサービスを得られるようになるわけである。

そうなると、かつて農業や文字や電力がそうしたように、経済の仕組みや人々のライフスタイルはもちろんのこと、価値あるものと無価値なものの基準、幸福や豊かさの意味まで大きく変わることになる。

では、これからの新しい世の中でわれわれは、どのような自由を享受し、どのような豊かさを手にすることができるのか。新しい時代にわれわれは何を喜び、どのような生活を営み、人生の意味をどこに見出すのか。

その答えを与えてくれるのが、新しい時代の姿を描き出す物語である。その姿を描き出すのは、哲学や美学、歴史や芸術といった人文の知性である。

哲学の用語に「大きな物語（Grand Narrative）」という言葉がある。言うなれば、世の中の基本的な価値観と是とされる社会のあり方を示す思想である。デカルトやニュートンが切り拓いてくれた近代の大きな物語は「理性と科学と進歩」であった。そして、その大きな物語を実現するための社会運営の方法論が資本主義と民主主義であった。

賞味期限を迎えつつある近代の資本主義と民主主義を刷新し、ＡＩが拓いてくれる新しい時代を迎えようとする今、社会はどのように構築され、人はどのように幸せな人生を生きるのかを示す「大きな物語」が描かれなければならない。

その大仕事がなされた時こそ、新しい大きな物語が世の中を新しい時代に向けて動かし始める。

今こそ、人文の力によって新しい大きな物語を描き出すべきである。

経済効率や経済合理性が専制的に支配する社会で長年辺境に追いやられ、軽んじられて来た人文の力＝文学部が時代を進める栄えある役割を担う時である。

文学部の逆襲を待望する。

第Ⅰ章 資本主義の暴走

トマ・ピケティ

「富が集積され分配されるプロセスは、格差拡大を後押しする強力な力を含んでいる、というか少なくともきわめて高い格差水準を後押しする力を含んでいる。」

山形浩生、守岡桜、森本正史翻訳『21世紀の資本』より朝起きて職場へ行き、打ち合わせをしたり書類を作ったりと仕事をして、夜には家に帰り食事をして、テレビを見たり本を読んだりして床につく。そしてまた朝になり、起きて職場へ行き仕事をして、家に帰り食事を摂って寝る。こうして私たちの日々は続いていく。その繰り返しが生活であり、その積み重ねが人生である。

私たちの生活は、果たして少しずつでも自由に豊かになっていっているのだろうか。

私たちの人生は、果たして明るく幸福な方向へ進んでいるのだろうか。

豊かさや幸せといった人生の価値は、何も所得や資産だけで決められるものではないが、とはいえ、日々の暮らしのあり様や人生の中での選択肢を現実的に左右するのはやはり経済が第一であろう。貧しいけれど幸福、お金持ちだけど不幸というクリシェ（言い回し）は、経済的余裕と幸福の強い相関が人々に知られているからこそ成り立っている。従って、

私たちの人生をより良くするためには、何よりもまず「経済」をみていく必要がある。

1　資本主義の経緯

①　資本主義の誕生と貢献

言うまでもなく、現代の経済は資本主義によって運営されている。1990年代初頭にソ連と東欧諸国が崩壊し、社会主義経済が世界から姿を消して以降は、世界のほとんどの国は資本主義によって経済を回している。つまり現代社会において資本主義は、世界のデファクトスタンダードと言っても良いほどの経済活動の普遍的方法論となっている。

資本主義が経済の普遍的方法論であるとは言え、何百年も何千年も前から営まれていたわけではない。今から200年余り前、18世紀のイギリスで産業革命が起きたのに際して、効率的に富と財貨を生み出すためのしくみとして登場して来た、経済運営の一つの手段である。18世紀後半にイギリスで蒸気機関が発明され、その後も内燃機関の発明、電力の発明と技術発明が続いたが、そうした技術発明に加えて資本主義という経済活動の方法論が開発されたからこそ両者が相まって産業革命が成立し、圧倒的な経済成長が実現したので

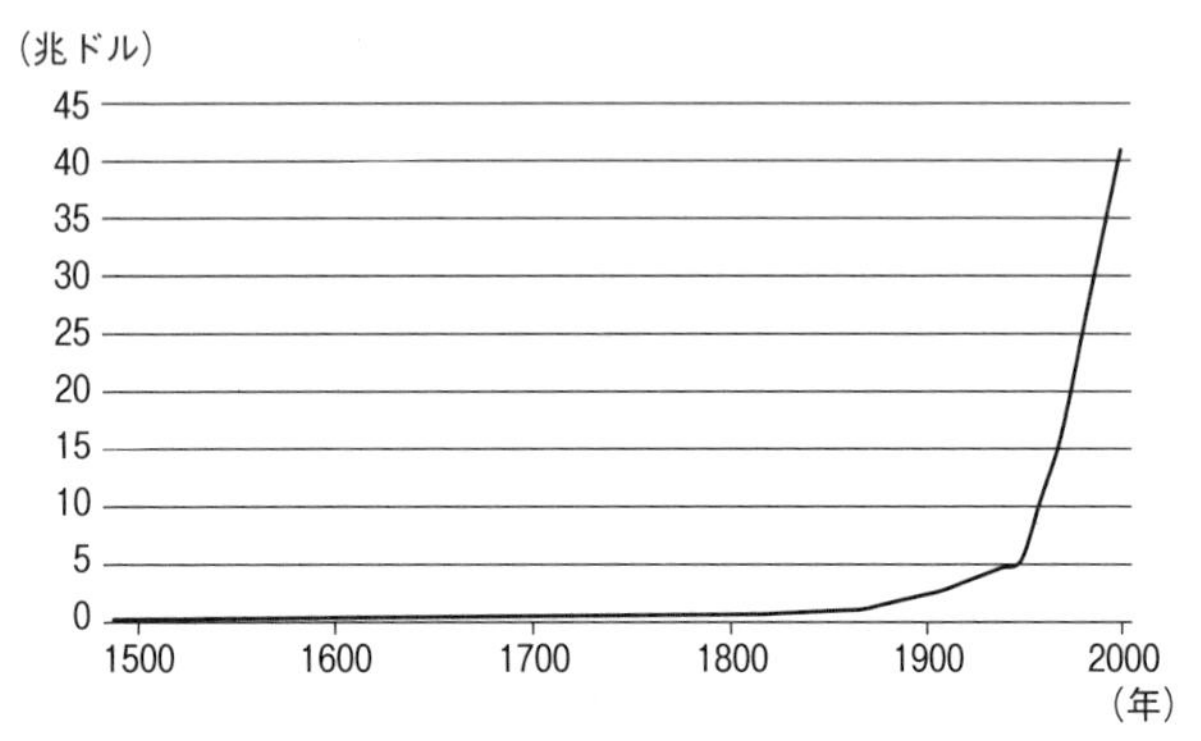

世界 GDP の推移(出典:アンガス・マディソン『世界経済史概観』を基に筆者作成)

ある。逆に言えば、1990年代に崩壊した社会主義国は、同じ技術を使っていたにもかかわらず資本主義を採用しなかったために、資本主義国との経済競争に敗れて崩壊したと解釈することができるのである。

いずれにせよ、技術発明と資本主義によって成立した産業革命以降の経済システムは、人類史上最も強力に人類の豊かさを向上させて来た。数量経済学者のアンガス・マディソンによる世界GDPの推移のグラフを見れば、そのインパクトの大きさは容易に理解できるであろう(上図)。人類が中世以降約800年間かけて達成したGDP拡大の18倍もの成長を資本主義経済は約200年で達成したのである。

もちろん産業革命以降の200年余りの間に、

次々と新しい技術発明がなされて来たのと同じく、資本主義も経済運営の方法論として洗練され高度化して来た。

資本主義が登場して来た当初は、重商主義的貿易で富を貯(たくわ)えた大商人や大規模荘園領主が資金を出資して蒸気機関を動力として使った大規模工場を作り、多くの労働者を雇用して綿織物や衣料品の大量生産をする形でスタートした。その後、銀行が世の中全体から広く集めて来た大量の資金を使って株式会社形式で重化学工業を経営するようになり、その産出量は飛躍的に拡大した。その後20世紀半ばには、資本主義経済において必然的に発生する景気循環の山谷を埋めるために、政府が財政出動によって景気の安定化を図るケインズ主義経済政策がとられるようになり、安定的な経済成長が可能になった。

このように、資本主義は時代に合わせて、社会の要請に対応して高度化し、1980年代まで社会と人々を豊かにし続けて来た。ちなみに、産業革命当時と1980年代との人々の実質的な豊かさのレベルは、物価変動等を織り込んだざっくりした計算で約8倍にも達する。資本主義のおかげで現代の庶民の生活は、食べる物も、健康状態も、旅行や趣味も、産業革命当時で言えば王侯貴族並みになったと言えるのである。

②　新自由主義への転換

資本主義が経済の拡大と人々の豊かな生活に貢献していた構図が変調をきたして来たのが1980年代〜1990年代にかけてである。

第二次世界大戦以降、ほとんどの資本主義国では国家が大きな財政負担をすることによって、不況対策のために公共事業を行ったり国民生活の安定のために社会保障を整備するというケインズ主義型の経済政策を取っていたが、1970年代に起きたオイルショックを契機に財政赤字に耐えられなくなって「新自由主義」型の政策に転換を図るようになった。

新自由主義型の経済の考え方とは、企業活動のあり方や労働者の労働形態、及び物価や金利といった経済活動の委細は全て市場メカニズムに委ねるのが最も合理的で、経済活動に国家が介入するのは市場メカニズムの健全性を損なう悪しき行為である、とするものである。経済活動の委細を市場メカニズムだけに任せておくと、好不況の山谷ができたり、時には恐慌が起きたりするし、企業はもちろん労働者にも勝者と敗者が必然的に生まれ、貧富の格差が拡大していくので、好不況のギャップを埋めるためと市場競争の敗者である生活困窮者を救うためには国家の財政出動による介入が必要かつ有効であるとするケインズ主義の考え方とは真逆の方法論である。

新自由主義の理論的バックボーンは、思想的にはフリードリヒ・ハイエク、経済政策的にはミルトン・フリードマンが代表として挙げられる。ハイエクは、社会において自由に活動することは個人の基本的人権であり、政府の介入は個人の自由な活動を侵害するので、近代社会におけるもっとも重要な価値である個人の自由を棄損することは国家といえども認められるべきではない、という主張を唱えた。フリードマンは、経済活動の要素である資源や労働力や資金は、市場における需要と供給のバランスによって価格や賃金や産出量が決定されることによって最適化が達成されるので、経済活動に対する政府の介入はそのバランスを歪(ゆが)めることにつながり、最適化を阻害するので行うべきではないと主張した。

実際にこうした考え方に基づいた新自由主義的な政策、例えば規制緩和、福祉削減、財政緊縮、自己責任原則制度等々の政策がそれまでのケインズ主義型政策にとって代わって採用されるようになったのは、１９８１年にアメリカ大統領に就任したレーガン、１９７９年にイギリスで首相になったサッチャーの政権からである。先ほど挙げた二度のオイルショックに加えて、アメリカはベトナム戦争とソ連との軍拡競争によって生じた巨額の財政赤字問題を抱えており、イギリスは長年続いた「ゆりかごから墓場まで」と言われる手厚い福祉政策による財政赤字と経済の沈滞という深刻な問題に悩まされていた。

こうした事情を背景にアメリカではレーガノミクスとして、イギリスではサッチャリズムとして新自由主義型経済政策が導入されたのだが、両国において当初は一定の成果に結びついた。アメリカでは法人税や所得税の減税と大胆な規制緩和を行ったことで企業の活動が活発化し、財政赤字は拡大したものの失業率が大きく低下した。またマイクロソフト、シスコシステムズ、インテルといった世界的ＩＴ企業が80年代にベンチャー企業として育った土壌もこの時の規制緩和によって培われた。イギリスでは「ゆりかごから墓場まで」の手厚い行政の下で既得権の温床となっていた公営企業の多くが民営化されたり、雇用規制の緩和が進んだことで、雇用コストを中心に企業のコストが大幅に下がり、長期にわたって低迷していた経済活動に活力が戻った。

このような新自由主義的な経済政策への転換はケインズ主義型政策による財政負担と国民経済の硬直化に悩んでいた日本をはじめとする他の先進資本主義国でも取り入れられ、規制緩和、公営企業の民営化、減税、福祉の削減は世界的な潮流となっていった。また社会主義の国々も、１９８９年にはポーランド、ハンガリー、チェコスロバキア、ルーマニアが将棋倒しのように次々と倒れ、1991年には本丸のソ連も崩壊して、その後に現出したのが「新自由主義の世界」であった。冷戦の終焉によって各国が張り巡らしていた様々な規制が取り払われ、ワンワールド、世界統一市場の掛け声の下に各国ともに貿易規制、金融・資本規制を撤廃し、世界共通の取引ルールや品質基準の統一が導入されて、「最も効率的な市場」が形成された。そして、こうして出来上がった市場において、資本主義は自らの利潤を最も効率的に追求するために自由に伸び伸びと活動できるようになった。

これが、まさに「新自由主義の世界」である。

③ 新自由主義のロジック

ところが、1990年代に成立した新自由主義の世界で、資本主義の暴走が始まる。

新自由主義の世界では、政府による企業への規制は原則的に良くないことであり、政府が社会保障や福祉政策の負担を負うことすら市場の効率を損なう社会コストとみなされる。従って、企業の負担を軽減し、社会保障を圧縮するというのが財政の基本スタンスとなる。それはかりか、企業の法人税や富裕層の所得税を減税し、その不足分を庶民に賦課する形の消費税で賄(まかな)うという、庶民から企業や富裕層への所得移転が多くの国で取り入れられていった。明らかに弱肉強食の経済ルールであり、大多数の庶民が豊かになるための政策スタンスではないのだが、こうした政策を正当化する新自由主義のロジックはこうである。他国の企業が低い法人税率で事業運営を行っている場合、自国の企業が高い法人税を課されていると世界市場における競争で不利を蒙(こうむ)る。世界市場で自国の企業が負けて淘汰されてしまえば、自国企業が生み出す付加価値も自国企業が生む雇用も失われてしまうのであるから、自国企業の法人税を軽減するのは国家レベルの経済競争戦略としては合理的であり、法人税の税率を下げても利益が拡大することによって税収は増加する。また国民にとっても自国企業の競争力が向上すれば企業の成長を通じて雇用機会が拡大し、雇用者の所得も向上する、というものである。

こうした新自由主義のロジックが幻想であったことは今となっては事実によって明らかであるが、１９９０年代の世界ではこの論に乗って世界中で新自由主義的政策が推進されていった。こうした潮流の背景には、ケインズ主義政策による財政赤字の苦労の記憶に加えて、市場メカニズムを否定して崩壊していった社会主義国の失敗も影響している。

しかし、次章において詳しく解説するが、資本主義が効率的に財貨を生産し、人々を豊かにするためには、資本の論理を野放図に容認するだけではダメで、資本主義が孕(はら)んでいる強欲な本能と弱肉強食のメカニズムに対する対処の施策が不可欠である。ケインズ主義経済が修正資本主義と呼ばれ、資本主義経済のこれらの弱点を補っていたからこそ第二次大戦後の各国においてインフラ整備が進み、中産階級が育って高度経済成長が実現したのである。また１９９０年までは、資本の論理以上に国民の平等を尊重した社会主義国との緊張関係があったからこそ、自国の経済の優位性を国民にアピールするために資本主義国においても労働者への分配に配慮していたのである。

　この構図が１９９０年代に崩れたことによって新自由主義の世界が現出し、資本は自らの利益の拡大だけを目的とした行動を取るようになった。当然それ以降、庶民の生活向上や国民の平等に配慮した再分配政策は重視されず、アメリカや日本を代表とする新自由主義的政策一本やりで進んで来た国においては、大多数を占める庶民はこの20年間ほとんど豊かになっていないのは多くの実証研究が示す通りである。多くの庶民が豊かになれていないばかりか、新自由主義が謳(うた)う効率的な経済すら実現できていない。経済資源の配分が歪められることを嫌う新自由主義であるが、資本の強欲を解き放ったことによって政治と公正が歪められて、結果として効率的に人々を豊かにすることに失敗したのである。

2　新自由主義の現実

今のわれわれはどのような社会で働いて、食べて、人生を営んでいるのか。資本の強欲が解き放たれ新自由主義の弊害が目立ち始めた2000年代以降の現実について冷静に理解するために、新自由主義の世界で起きていることを紹介しておこう。

①　アメリカ：規制緩和の行き着く先

モラルハザードと不正事件

まずは、新自由主義のトップランナーであるアメリカの事例で見てみよう。

アメリカでは80年のレーガノミクスによって失業率が低下し、ベンチャー企業が育つようになるなど経済活動が活発化したことは先ほど述べたが、その後、国家を揺るがすほどの大事件が二つ起きた。S&Lの破綻(はたん)とエンロン事件である。

S&L（Savings & Loan）とは個人向けの貯蓄と住宅ローンに特化した小規模の金融機関（日本で言えば信金組合や信用金庫のような私の町の金融機関といった存在）であるが、金融機関の規制緩和の流れの中でハイリスクな金融商品や無理をした貸し出しに手を出した結果、そのリスクに耐えられず1990年代後半に次々に倒産した。S&Lの倒産数は全米で700社以上に上り、大恐慌時以来の金融機関倒産劇となった。その対応には13兆円以上の税金が投入され、300人以上のS&L経営者が刑事罰として財産を没収されるという大事件となった。事件が起きた根本の原因は、通常のビジネス以上に安全とリスク管理を要する金融業に対して行き過ぎた規制緩和を行ったことで、S&Lが〝手を出してはいけない融資〟に走ってしまったことであった。

エンロン事件は2001年に起きた。エンロン社はエネルギー事業分野の規制緩和の流れに乗って急成長した電力やガスを扱う大企業で、売上高で10兆円を超え、全米トップ10にもランクされる堂々たる優良企業と目されていた。そのエンロンが2001年に突然破綻した。急成長かつ好業績と評価されていたエンロンが突然破綻したこと、また人々のライフラインを扱う企業が不正にまみれていた事実が全米はおろか世界中に大きなショックを与えた。

破綻の理由は、巨額の不正経理と不正取引、及びそうした不正を隠すための粉飾決算である。エンロンはエネルギー分野の規制緩和の中で様々なM&Aや新規事業を行っていたが、金融分野の規制緩和も活用してデリバティブなどのテクニックを使って粉飾していたために長い間不正が発覚しなかったことも突然の倒産につながった。当然ながら、意図的な粉飾決算に対しては厳しい対応がとられ、CEOのジェフリー・スキリングは禁固24年の実刑判決を受けた。

S&Lの大量倒産、エンロンの突然の破綻という二つの事件が起きた背景には、新自由主義的な規制緩和がある。しかも金融業と電気・ガスを供給するライフライン事業という、いわば〝お堅い〟はずの業種で不正に因って起きた点が深刻な問題である。こうした事件への対処には多額の税金投入やライフライン・サービスの供給停止といった重大な社会コストが発生するわけであり、新自由主義が標榜する社会コストの低減による効率的経済とは全く逆の事態を招いてしまったことになる。

これらの事件から教訓を得てこのような規制緩和とモラルハザードに起因する事件はこれ以降抑止できたかというと、現実はそうはいかなかった。更に悪質で大規模な事件が2008年に起きた。リーマンショックである。

本来最も信用を大切にしなければならない金融業界においてこの事件が起きたのは、新自由主義の下での資本の暴走をシンボリックに表している。エンロン事件の時も粉飾決算のために高度な金融技術が使われていたことは先ほど触れたが、リーマンショックでは投資銀行という世間で最も優秀とされる人材が集まった業界で発生したことは深刻である。投資銀行や証券会社は優秀な人材の知識と技術を駆使してサブプライムローンの証券化というスキームを編み出し、詐欺的な金融商品を確信犯的に世界中に売りさばいて巨額の利益を得ていたのだ。それも震源地となったリーマン・ブラザーズ一社だけでなく、業界各社がこぞってである。当然サブプライムローン関連商品は必然的に破綻し、アメリカ一国だけではなく全世界を巻き込んで不良債権の連鎖増殖が爆発的に膨らみ、その不良債権の総額は１０００兆円にも試算されるほどの大事件となった。この事件への対処として投入された公的資金はアメリカで74兆円、ヨーロッパでは１４７兆円に上り、世界中がその後何年にもわたって経済低迷を蒙る事態となった。

　このように公的資金の負担や経済的損失だけでも史上最悪の経済事件であるが、更に深刻なのはリーマン・ブラザーズをはじめとする多くの投資銀行が確信犯的に起こした事件であるにもかかわらず、中心的当事者である投資銀行の経営者達は何億円～何十億円にも及ぶ多額の退職金をもらって勇退が認められたことである。エンロン事件の時にはＣＥＯが禁固刑を受けたし、Ｓ＆Ｌ破綻の時は３００人以上の経営者が財産を没収された。にもかかわらず、何十倍〜何百倍ものスケールのリーマンショックを起こした当事者達はそうした刑事罰を免れたのである。S&Lの破綻やエンロン事件の際に得たはずの規制緩和とモラルハザードのリスクの教訓が生かされず、更に緻密にもっと狡猾(こうかつ)にリーマンショックが引き起こされ、歪んだ新自由主義的合理性、つまり規制や法制度の網をかいくぐっていさえすれば社会に大きなダメージを与えても罰せられないというルールを〝合理的に〟活用した資本が大手を振って逃げ切ったという史実を作ったのである。

こうした事件を見ても、新自由主義的な政策が効率性を高めることによって良き経済を実現するとは決して言えないことが理解できよう。

しかし、こうしたモラルハザードに起因する経済事件の発生よりも更に重大な新自由主義的政策がもたらす深刻な問題がある。

格差と貧困である。

新自由主義の世界において資本主義が暴走することによって発生する最も重大な問題、格差と貧困について、世界の資本主義国がどういう状態にあるのかを次に示そう。

格差と貧困

そもそも経済活動は人々が豊かな生活を営むために行っている営為である。働いて財貨を作り出し、それらの財貨を欲している人に届け、それらの財貨を使用・消費して人々は便利で豊かな生活を営むことができる。多く働けばより豊かになれる。多くを望まなければ、働くことを減らせる。これが労働と豊かさの自然な関係である。この経済のメカニズムとバランスを担っているのが市場であり、その市場メカニズムを最大限に尊重する経済政策、即ち新自由主義の経済政策を取れば、最も効率的に多く財貨を産出することができ、最も有効にその財貨を届けることができ、人々が望む働き方と生活のあり様を最も自由に決めることができるので、最も合理的な経済運営の方法論である、というのが新自由主義経済のロジックであった。

しかし、1990年代に新自由主義の世界になって以降、新自由主義経済の国の人々はほとんど豊かになっていないのである。こう書くと驚かれる向きも少なくないと想像するが、事実である。より正しく言うと、2000年代前半辺りまでは世界の統一市場が実現し、様々な規制緩和が行われることによってサプライサイド（財貨の供給者側：企業）の自由度が増して経済活動が活発化して、世界のGDPは大きく拡大し、多くの人々が豊かになった。しかし2010年代に入って以降はアメリカ、EU、日本という主要資本主義国の経済成長は停滞したままで、とりわけ庶民の生活は実質的にはほとんど豊かになっていない。

例えば2010年以降現在までで見ると、EUを代表する独・仏・英・伊のGDP成長率は年平均でわずか0・7%であるし、日本に至ってはマイナス1・1%と、停滞どころか沈没状態である。アメリカだけは国全体のGDP成長率は年平均4・1%と一見順調に見えるが、国民の約8割を占める中間層及び低所得者層の実質所得はこの間ほとんど増えていない。つまりアメリカは国全体で見れば成長しているものの、国民の大多数はその恩恵に与かれておらず、一部の者だけが富んでいくという経済構造になっているのである。

そして国全体は成長しているのに、一部の者だけが富み、大多数は豊かになれないでいるという現象、即ち格差の発生こそ、新自由主義経済がもたらす最も重要かつ深刻な問題なのである。

例えば、アメリカでは2007年時点では上位1%の超富裕層が国の全ての資産の35%を所有しており、次の19%の富裕層が51%を所有している。従って裕福ではない中間層以下の80%の国民は残りの僅か(わず)14%を所有しているに過ぎない。圧倒的な格差社会である。

しかもこういった経済格差は世代を超えて継承される。中間層以下の子弟が高レベルの教育を受けて高額の報酬を得られる職に就こうともくろんでも、高レベルの教育を受けるには高額の学費が必要なため、なかなかそうした機会を手にすることができない。一方、富裕層の子弟は高い学費を払って高レベルの教育を受け、高額の報酬を得られる職に就くことができる。こうして階級格差は世代をまたいで固定化され、硬直した格差社会になってしまうのである。

この問題を象徴する事件が、2011年にアメリカで起きた「Occupy Wall Street〈ウォール街を占拠せよ〉運動」である。この運動は富を独占する象徴の投資銀行や証券会社、ヘッジファンドといった有力金融機関が集まっているウォール街に学生を中心とした1000人以上の若者が「We are the 99%〈われわれは99%の側〈敗者〉だ〉」をスローガンに集結し、2カ月以上にわたって座り込みを続け、多数の逮捕者も出たほどの大きな事件となった。背景には、先述したリーマンショックで明らかにされた金融業者=富裕層の強欲さに対する反発、そうした富裕層を優遇する政策への批判、更にリーマンショック以降の不況によって19歳〜24歳の若者の失業率が40%にも達していることに対する不満があった。

こうしたアメリカで起きている事態こそ、新自由主義経済の世界で資本主義が暴走して引き起こす問題の核心である。つまり、資本主義経済による競争は必然的に勝者と敗者を生むために格差が発生し、仮に経済全体が成長・拡大したとしてもその恩恵にあずかれるのは一部の富裕層だけで、多くの庶民は豊かになれない。しかも新自由主義型の経済政策は自己責任の原則に則って再分配や福祉政策を縮小するので格差は埋められず、階層格差が固定化し、中間層以下の大多数の人々は希望の持てない生活と人生を強いられるというメカニズムである。

経済は本来人々が豊かになるために行う営為であるのに、新自由主義の下で資本がその欲望のままに振るまう世界では、経済が人々を豊かにできなくなってしまうのである。

以上、新自由主義が資本の暴走を容認・助長し、経済が大多数の人々を豊かにすることができなくなってしまっているという実態について、新自由主義の本家本元であるアメリカの例で解説してきたが、次にわれわれが生活している日本の実態についても見ておこう。

②　日本：二つの格差

消費税の意味と影響

日本も他の先進国と同様に1960年代は高度経済成長を謳歌（おうか）した。成長率は毎年10％を超え、人々は年々生活が豊かになっていく実感を得ていた。70年代のオイルショックに際しても、一時的な落ち込みはあったものの、80年代初頭には立ち直りいち早く成長路線を回復した。他の先進国が80年代後半までオイルショックのダメージから回復できず、不調が続いていたのとは対照的であった。

そして80年代の終盤には、後にバブル景気と呼ばれるようになった未曽有（みぞう）の好景気に入り、一気に世界の経済大国に上りつめた。80年代の欧米各国の年平均成長率が4・3％～7・9％程度であったのに対して日本は12・0％と圧倒的で、「Japan as No. 1」とか「日本にならえ」と世界中から注目された「日本の時代」であった。その勢いで1988年には一人当たりGDPで世界一位になり（2・5万ドル）、経済力だけでなく教育、国民の生活、安全、環境といった様々な条件を加味したIMDの世界競争力ランキングでもやはり世界一位（1989年）に輝いた。

しかも、特筆すべき日本の特徴は「一億総中流」と言われたほどに格差が無いことであった。国民全員が中産階級で同じ水準の生活と同じ程度の向上を享受できていた。あまりにも国民全員が同レベルであることが、即ち格差の無いことが、多様性や個性を欠く原因となっているとされて、問題視されていたほどである。

それから約30年を経た今、日本はどうなっているかというと、一人当たりGDPは26位、世界競争力ランキングは30位、この間のGDP成長率は1・6%（1988年〜2018年の30年）と、かつての隆盛は見る影もない。まさに「失われた30年」である。ちなみに最近の20年間では年0・5%成長とさらに低い。

この30年間は日本においても新自由主義の時代であった。新自由主義政策の定番である規制緩和、公営企業の民営化、公共事業の圧縮、福祉予算のカットが次々に進められて来た。新自由主義経済の教科書通りである。

そして教科書通りに格差が生まれた。失われた30年の間に新自由主義政策がもたらした日本の格差には二種類ある。一つが企業と国民の格差であり、もう一つが富裕層と貧困層の格差である。日本で新自由主義がこれら二つの格差を生み出した経緯を説明しよう。

企業と国民の格差及び富裕層と貧困層の格差という二つの格差を生み出す起点となったのは、30年前の1989年に消費税が導入されたことと見なして良いであろう。消費税は様々な経済活動によって産み出された財・サービスを購入・消費する際に課せられる税なので、最終的には全て消費者が負担することになる。つまり、新しい税負担の財源負担者として企業ではなく消費者が選ばれたのである。この意味で、資本を優遇するという新自由主義のポリシーが典型的に反映された税である。

しかも消費税は所得のうちの消費に回す部分が大きい層に対して重く課せられることになる。従って所得が大きい者、即ち富裕層よりも、所得が少ない者、即ち低所得者に対して重く課せられる性質を持っている。それまでの個人に課せられる税は所得税であり、所得が大きい者には高率で、所得が低い者には低率で課せられていたので、富裕層が多く負担し、低所得層は少ない負担であった。金持ちには多く、貧乏な人には少なくという担税力応分の負担は健全な税制の基本原則なのだが、消費税は貧乏な人ほど重い負担をしなければならないという担税力応分の原則に反した税制なのである。このように担税力に反比例した負担配分は逆進性と呼ばれ、富裕層優遇のポリシーに添ったもので、「1%対99%」の構造を促進する。

以上のように1989年に初めて導入された消費税は、①企業を優遇し、②逆進性によって富裕層を優遇するという性質を持つ、まさに新自由主義政策の典型的経済政策なのである。

その後、この30年の間に、消費税は1997年に5%に、2014年に8%に、そして2019年には10%に増税されてきた。消費税そのものが企業優遇、金持ち優遇の性質を本来的に持つので、消費税の税率をアップすること自体が格差と貧困を生じさせるのだが、それに加えて消費税の増税とは対照的に減税されてきた税がある。法人税と所得税の最高税率である。

一億総中流の時代であった1970年代(74年〜)は、法人税率は40%、所得税の最高税率は75%であったのに対して、今や法人減税は30・62%(東京の法定実効税率)、所得税の最高税率は45%にまで大きく減税されている。その結果、税収に占める割合は消費税が導入される前の1988年には法人税が36・2%、所得税が35・4%であったのに対して、今や法人税20・6%、所得税31・8%と大きく低下した。そして消費税は現在の税収の31・0%を担うまでになっている。

この間、少子高齢化の影響で医療費や年金支給の膨張があり、国民に支出しなければならないお金は増大し続けて来たが、医療費や年金は健康保険料や年金保険料という税金とは別の社会保険料として徴収されている。この30年の間には社会保険料の増額や年金支給年齢の引き上げといった、国民の負担を重くし受益を少なくする形で何度も改定が行われて来た。このように、国家財政の中心をなす税制に関しても税を補う社会保険料に関しても、ここで示した「企業と富裕層を優遇し、庶民の負担を増やす」という新自由主義型のポリシーが貫かれているのである。

日本における新自由主義的政策の進行について消費税の持つ意味と影響を中心に説明して来たが、もちろんアメリカやイギリスで実施されたその他の新自由主義的な政策も導入された。金融、農業、医療、教育、電力・ガス、労働者派遣といった分野での規制緩和、公営企業の民営化、公共事業のカット、社会保障・社会福祉のレベルの引き下げ等々、この30年間で新自由主義経済の教科書に載っているようなメニューはほぼ全て実施された。

その結果、今起きているのが先述した①企業と国民の格差と、②富裕層と貧困層の格差という二つの格差である。

以下、これら二つの格差について簡単に現実の姿を紹介しておこう。

企業と国民の格差

"Japan as No. 1"とバブル経済の勢いをかって日本経済が到達した最高位にあったのが90年代半ばであるが、1997年のGDP533兆円と比べて2017年のGDP547兆円と、日本経済は20年間ほぼ成長していない。GDPは企業活動が産み出す付加価値の総量なので、GDPが20年間成長していないということは、企業がこの間に生み出した価値の総量が増えていないことを意味する。さぞや日本企業は経営に苦しんだであろうと想像してしまいがちだが、実は日本企業はこの間何度も過去最高益を達成しており、利益でみればこの20年間絶好調とも言える業績を残して来たのだ。その結果として、利益から法人税を支払った残りを蓄えた内部留保の金額が1997年時点では143兆円であったのに対し、2017年には446兆円と303兆円も増え、約3倍にもなっているのである。

売上や生み出した付加価値は増えていないのに利益がどんどん増えるというのは、コストをどんどん圧縮しているということであり、そのコストというのは主として労働者に支払われる賃金である。賃金の圧縮は二通りで実行されて来た。一つは雇用人数自体の圧縮、つまりリストラである。もう一つは賃金自体の圧縮である。賃金を直接引き下げること自体は法律によって一定の歯止めがかけられているので、給与の高い正社員をリストラして賃金の低い非正規雇用に置き換えるという手法で行われた。この手法を推進するために、2004年の小泉政権の時と、2012年の安倍政権の時に、派遣社員に関する規制が緩和された。その結果、1997年当時は非正規社員数1152万人、非正規社員比率23%(正社員比率77%)であったのが、現在(2020年)では非正規社員数2090万人、非正規社員比率37%(正社員比率63%)と、非正規社員の増加が顕著である。

こうした流れの中で、当然ながら雇用者の所得は抑えられてきた。1997年の年間平均所得が467万円であったのに対し、2018年では441万円と低下している。

企業は度々最高益を更新し、内部留保は20年間で3倍以上に膨れ上がる一方で、労働者の賃金はむしろ低下し、そればかりか身分の不安定な非正規雇用が増えるばかり、という格差である。

富裕層と貧困層の格差

新自由主義的政策はアメリカの事例で見たように1%対99%の個人間格差を生み出す。そのため日本でも「一億総中流」と言われたかつての姿は今はもう無い。

実は格差を生み出す最大の要因は、トマ・ピケティが『21世紀の資本』で丁寧に実証したように、所得よりも資産である。先述したように企業対個人で見れば、企業が富み、個人は貧困化という構図になっているが、個人の中には一部豊かさを増して来た層も存在する。まとまった資産を保有している人々である。

年収何千万円も稼ぐ人であっても、最高税率が下げられて来たとは言え、高額所得分に関しては所得税と住民税を合わせて所得の約50%を税金で徴収される。社会保険料を合わせると、手元に残るものはそれ以下になる。具体的には、年収3000万円の人であれば手取り額は１８０６万円と約40％が、年収５０００万円の人であれば２７５７万円と約45％が税金と社会保険料で取られることになる。

一方、資産を運用して稼いだ所得に対しては、所得の金額にかかわらず、たとえ金額が1億円であろうが10億円であろうが、一律20％の税率で済む。従って、株や不動産の売買といった〝お金持ち限定〟の稼ぎがある人は加速度的に資産を増やしていくことができるので、資産を持つ人と持たない人の格差はどんどん開いていくことになる。

その結果、日本の個人間格差を見ると興味深い現象が起きた。２０００年〜２０１５年の間に金融資産ゼロ世帯は２・８倍、金融資産1億円以上の世帯は１・５倍に急増したのだ。具体的な世帯数・比率で表すと、金融資産がゼロの世帯数は２０００年には５８０万世帯（12・4％）であったのに対し２０１５年には１９５５万世帯と3倍以上に増加している。何と全世帯のうち36・7％の世帯が金融資産ゼロなのである。一方、金融資産が1億円以上の世帯も２０００年の83・5万世帯（1・8％）から２０１５年の１２１・7万世帯（2・3％）へと増加している。ちなみに2・3％とは言え、1億円以上の金融資産を保有する世帯比率が2・3％というのは世界一である。

一億総中流と言われた時代は、ほとんどの家計はコツコツと貯金をして、日本の貯蓄率

（所得のうち貯金に回す割合）は23・1％と世界でも有数の高さを誇っていた。しかし、90年代以降の新自由主義政策の下で企業は労働者の賃金の抑制を行ったために全く貯金ができない家計が急増したのだ。実際貯蓄率は１９９５年には11・2％、２００５年には２・９％、２０１５年には１・５％と低下の一途を辿ってきている。

こうして富裕層と貧困層の格差が生じ、かつ拡大してきているのだが、この現象は国民経済にとって二つの意味で深刻なダメージをもたらすことに留意しておかなければならない。

一つは中産階級の解体である。かつての一億総中流の時代は国民の大多数が中産階級であり、経済成長は厚い中産階級の存在によって実現する。中産階級の人々はより良い明日のために一生懸命に働いて積極的に財貨を購入・消費することで、経済成長の原動力となるからである。金融資産一億円以上の世帯も１・５倍に増加したが、その比率は２・３％でしかないし、また超富裕層の消費性向（所得のうち消費に回す割合）は中産階級よりも低いので国民経済を成長させるほどの大きなパワーにはならない。中間層の解体は国民経済を成長させるエネルギーを失わせてしまうのである。

もう一つの深刻なダメージとは、アメリカの事例で示したのと同じく、格差の世代間継承と階級の固定化である。資産格差は所得格差以上に世代をまたいで継承されるので、格差が固定化・拡大する。その結果、実質的な階級社会化に繋がるため、低い層の人々は飛躍・向上の機会が与えられず、チャレンジする意欲も失いがちになる。その結果、社会は硬直化して、沈滞し、国として衰退の道を辿ることになる。

ただでさえ日本は世界でも最も深刻な少子高齢化と人口減少という経済成長のための重しとなる条件を抱えており、一層チャレンジの気概と社会の活性化が必要とされるのであるが、中産階級の解体、格差の拡大と階級社会化という最悪の症状を呈しているのである。

③ ヨーロッパ：EU成立とオルタナティブ

国家間の格差

ここまで新自由主義の本家本元であるアメリカと失われた30年の中で成長できずにいる日本において新自由主義政策がもたらした資本の暴走と格差について紹介して来たが、次にもう一つの先進資本主義地域であるヨーロッパについても見ておこう。

ヨーロッパにおける新自由主義はアメリカ、日本とは異なった形で表れた。先にサッチャリズムの導入で紹介したイギリスがかつてそうであったように、ヨーロッパ諸国はアメリカ、日本と違って国家による手厚い社会保障や社会福祉が伝統的に定着している。多くの国で教育、医療は無償であったり、それに近い安価な提供が行われており、貧困者に対する生活保護も手厚い。そのためかつてのイギリスと同じように、１９８０年代までは重い財政負担と経済の沈滞化に悩まされており、何らかの新自由主義的な〝喝(かつ)〟を入れることが求められていた。そのヨーロッパで新自由主義的政策として採用されたのが「ＥＵ・ヨーロッパ連合」である。

ＥＵは加盟国域内において、経済取引に関する各国別の様々な規制を撤廃し、ＥＵ域内のルールを統一することによって、まるで一つの国であるかのような経済活動ができる経済圏を確立することを目指して１９９３年に成立した。更に、２００２年には域内統一通貨「ユーロ」が採用されてＥＵ統一市場が成立した。

域内人口は5億人以上とアメリカと日本を合わせたよりも大きな経済圏を形成し、規制の撤廃、取引ルールの統一、共通通貨という、新自由主義的な政策が次々に採用されたことによって、目論見通りＥＵ経済は効率化し、経済は活性化した。特に共通通貨ユーロが導入された２００２年以降しばらくの間（リーマンショックを蒙る２００８年まで）は順調な経済成長が実現した。

しかし時間の経過とともに新自由主義の副作用も当然ながら発症した。新自由主義経済の副作用である格差は、EUにおいては加盟国の国家間格差として現出した。加盟各国の国内経済においては手厚い社会保障によってアメリカや日本ほどの深刻な個人間格差の問題にはならなかったものの、新自由主義経済の属性としての格差は国家間格差として発生したのだ。そしてその格差がEU全体を沈滞化させることになった。

2000年代はEU全体として比較的順調な経済成長を達成していたものの、2010年以降はリーマンショックの後遺症もあって、EUの実質的盟主であるドイツだけは何とか成長を維持した一方で、比較的国民経済の競争力が弱いスペイン、ポルトガル、イタリア、ギリシアといった国々は深刻な不況に陥った。2015年にEUからの離脱を巡って国民投票まで行われたギリシアの騒動や2020年のイギリスのEU離脱は記憶に新しいところである。ちなみに2010年から2019年の間の各国の年平均成長率はドイツが1・7%であるのに対して、スペインが1・1%、ポルトガルが0・7%、イタリアが0・1%、ギリシアがマイナス1・8%と大きな開きがあり、とても同一の財政基準や共通の経済ルールを適用することができない状態である。

こうした格差の発生とそのあげくの全体の不調は、新自由主義政策が国民経済の中で引き起こす問題が位相を変えて国家間で発現したものと解釈できる。つまり、市場メカニズムを最大限尊重するという経済政策は強者優遇の政策となって格差が発生・拡大し、その格差が全体の活力まで損なってしまうというプロセスである。EUにおけるドイツの好調と引き換えに南欧諸国の弱体化が進み、結果として全体の不調を招いてしまった現実はまさにこの構図そのものである。

北欧のオルタナティブ

ここまでアメリカ、日本、EUと、新自由主義の世界で市場メカニズムと資本の論理を優先した経済政策がどのような結果をもたらすのか、すなわち格差の発生と全体の不調という問題を提示してきたが、世界には上手に資本主義の手綱をとって国民経済の発展と人々の豊かな生活を実現している国も存在している。

北欧諸国である。

北欧諸国はノルウェー以外はEUに加盟しているものの、ノルウェー以外のフィンランド、デンマーク、スウェーデンも多くのEUとは多少異なった経済政策をとって、国民経済の運営で成果を挙げている。

その特徴を一言で表すと、大きな再分配と企業活動の自由化の両立である。北欧諸国は全般に国民負担率（国民所得に占める税金と社会保険料の合計が占める割合）が非常に高い。例えば主要各国の国民負担率は、アメリカ33・1％、日本42・8％、イギリス46・9％、ドイツ53・4％であるのに対して、デンマーク66・4％、フィンランド63・2％、スウェーデン58・8％、ノルウェー51・2％である（ノルウェーは北海油田から国家収入があるので比較的税金と社会保険料が低い）。そして北欧諸国では医療、学費は原則無料な上に、生活保護や年金も手厚いし、大学生には給与が支給されたり、失業者に対する再教育プログラムも充実しているなど、大きな国民負担を財源にして国民が生活の不安なく生きるための手厚い社会保障制度を整えているのだ。

その一方で、企業に対しては市場競争に有利なように自由な事業展開を認めている。その典型は、解雇規制が緩いことである。企業が市場変化に柔軟に対応して迅速に事業のリストラを進めるためには、どうしても大胆な人員の解雇が必要になる。また最先端の技術を導入したり、新しい設備を稼働させたりするためにも、古くからの人を解雇して新しい人に入れ替えることも必要である。一般に、医療、教育、生活保護といった社会保障が手厚い国では、労働者の権利が強く認められていて解雇が難しいことが多いのだが、北欧諸国においては解雇規制を緩くすることによって企業の自由な事業展開を促進し、経済の活力を確保しようとしているのである。北欧諸国では仮に企業に解雇されても、失業保険や再雇用のための教育・支援が充実しているため、労働者の不安や不満も小さい。こうして、大きな再分配と企業活動の自由化という、他の国ではなかなか両立できていない経済運営が成立しているのである。

その結果として、北欧諸国は経済においても、人々の豊かさ/幸福度の実感においても優秀な成果を達成している。

一人当たりGDPでは、ノルウェー4位(8万1550ドル)、デンマーク10位(6万897ドル)、スウェーデン12位(5万4356ドル)、フィンランド15位(4万9738ドル)と各国ともに世界で上位に位置している。また何より特筆すべきは、国連が支援する団体であるSDSN(=持続可能な開発ソリューション・ネットワーク)が調査・発表している世界幸福度ランキングにおいて北欧各国が全て上位の常連国になっていることだ。例えば2019年のランキングでは、フィンランド1位、デンマーク2位、ノルウェー3位、スウェーデン7位であり、2012年~2019年の間、北欧4カ国は常に上位10位以内に入っている。

こうした北欧諸国の政策と成果は、新自由主義政策によって生み出された格差と成長の行き詰まりに悩まされる多くの国々に対して、有益な示唆を与えてくれる方法論だと評価できよう。

3 新自由主義への警鐘

以上見て来たように、新自由主義の世界において、現在、経済はわれわれを豊かにし得ているとは言い難い。

われわれは産業革命に際してより早くより大きなスケールで財貨を作り出すための方法論として資本主義を編み出し、その後約200年の間にGDPを60倍（実質生活レベルで8倍）にするという成果を達成した。しかし、その行きついた先の新自由主義の世界において、われわれは自由にも豊かにもなっていないというのが現実なのだ。

本章でここまでに見て来たような新自由主義の弊害については、新自由主義政策が本格化した90年代以降、様々な識者が警鐘を鳴らして来た。例えばクリントン政権で労働長官を務めた経済学者ロバート・ライシュは、著作『暴走する資本主義』において、この格差現象を早くから指摘している。90年代以降のアメリカでは富裕層が年々豊かになっていくのに対して、中間層がどんどん貧しくなっていっており、その背景には企業が資本の力を使って政治への強い影響力を行使していると強烈に批判した。

また世界銀行で主席エコノミストを務め、2001年にはノーベル経済学賞を受賞したジョゼフ・スティグリッツも2002年に『世界を不幸にしたグローバリズムの正体』を出版して以降、2006年に『世界に格差をバラ撒いたグローバリズムを正す』、2012年に『世界の99%を貧困にする経済』を出版し、新自由主義経済に対する厳しい批判を続けている。

2013年にはフランスの経済学者トマ・ピケティが資本主義登場以降現在までの200年間の徹底的なデータ分析に基づいて『21世紀の資本』を著した。ピケティは本書において、資本による収益が常に経済成長より大きいことの実証を行い、健全な資本主義社会の発展と人々の豊かな生活を実現するためには、格差解消のための再分配が不可欠で、例えば2%の資産課税と最高税率80%の累進所得課税という具体策まで提示している。

こうした研究者たちの分析と提言は大きな反響を呼び、またここに挙げた彼らの著作は全て世界中でベストセラーになった。それにもかかわらず、新自由主義的政策の潮流は一向に改められることなく現在も続いているのが現実である。これほど説得力を持った批判が続いているのに、新自由主義政策が続けられている事実こそが、新自由主義の世界における「資本主義の暴走」を物語っていると言えよう。

実は、新自由主義型の経済政策の提唱者として先に紹介したミルトン・フリードマンも、市場メカニズムを最大限に尊重することを主張しながらも、市場競争と市場配分によって必然的に生じる格差の問題は解決しなければならない重要な課題として、新自由主義経済政策の原典ともいえる著書『選択の自由』できちんと言及している。格差は市場と社会を不安定にし、効率的な配分と経済成長を阻害するので、低所得者にはマイナスの所得税（所得補塡金の給付）等の再分配が必要である、ということを新自由主義論者のフリードマンも認めているのである。

それにもかかわらず、現実の新自由主義の世界では格差の問題や再分配の必要性がまるで無きことかのように黙殺されて、資本は着々と力を拡大し、1％対99％の世界が進んでいっているのだ。まさに止まらない資本の暴走である。

こうして現代の経済のあり様を検討してくると、大多数の人々が豊かさを得られない経済なら、なぜ政策転換を行わないのかという疑問が湧いてくるであろう。現代の国家は民主主義で運営されているのであり、大多数の国民が豊かになれない政策であれば、そうした政策は多くの国民によって支持されるはずもなく、民主主義によって政策転換が図られるはずだと考えるのが自然である。

なぜ資本の暴走が止められないのか、という問題について分析するために、次章ではテーマを経済から政治に移して検討を進めよう。

第Ⅱ章

民主主義の機能不全

オルテガ・イ・ガセット

「あの高邁（こうまい）な民主主義的理想が生み出した万人平等化の権利は、目標や理想の座をおり、単なる欲求と無意識的な前提に変わりはててしまったのである。」

神吉敬三翻訳『大衆の反逆』より

第Ⅰ章で検討した資本主義と並んで、今日の世界のほとんどの国で社会の運営を司っているもう一つの方法論／理念が民主主義である。今日では数少ない非資本主義国、例えば中国や北朝鮮も、その正式な国名は中華人民共和国、朝鮮民主主義人民共和国となっており、人民という語を冠している上に共和国である。共和制とはその国の主権が国王や皇帝といった個人に帰属するのではなく、国民や人民の側にあるという意味の統治形態で民主主義の一つの形である。中国や北朝鮮の統治の実態がどうなのかは別にして、非資本主義国である中国や北朝鮮すらも建前としては民主主義を標榜しているほどに、民主主義は有効かつ一般的な社会運営の方法論であり、人類にとって普遍的な理念だと言うことができよう。

それでは、現代社会において最も普遍的な理念であり、有効な社会運営の方法論である民主主義は、人類にとって所与のものであろうか。

現在ではこれほど世界中で普遍的に採用されている民主主義も、その原型は古代ギリシアにおいて誕生したが、国家の重要な事項を決定する権限、即ち国家主権は国民が有するとする現代の民主主義は、実は18世紀〜19世紀にかけて登場して来た考え方／制度である。国家主権を正式な政治制度として定めた男女平等の普通選挙制度の施行が実現したのは、最も早く民主主義を採用した国の一つであるイギリスにおいてでさえ1928年、20世紀になってからという比較的新しいものである。つまり考え方としては18世紀に誕生し、100年以上の年月と革命や階級対立といった社会運動を経てようやく現在の姿に発展し、世界中に浸透して来た、人類の歴史的叡智の所産とも言うべき理念/社会運営の方法論が民主主義なのである。だからこそ、資本主義を採用していない国まで含めて世界中のほとんどの国家が民主主義という統治形態を取るほどの普遍性を持つのであろう。

それほどの普遍性を持った、人間社会にとって有効なはずの理念/社会運営の方法論である民主主義であるが、では現代において民主主義が実質的に機能しているか、即ち人々が自律的に社会運営のあり方を実際に決定し、実質的に人々が自由と平等を手に入れているかと問われれば、明確にイエスと言える人は少ないのではないか。

端的に言って、中国や北朝鮮といった建前としての民主主義国家だけでなく、アメリカや日本をはじめとする民主主義国家においても民主主義は実質的に機能不全に陥っている。

本章では、まず民主主義とは具体的にはどのような理念であり、どのような歴史的背景と必然性をもって誕生し発展して来たのかを紹介する。次いで、第I章で提示した新自由主義の下での資本主義の暴走を踏まえ、なぜ民主主義が機能不全に陥ってしまったのかについて解説する。資本主義の暴走に加え、民主主義の機能不全の経緯と要因を探ることで、文学部的なるものを問う最終章への橋渡しを行う。

1 民主主義の成立と発展

① 民主主義の二つの基本理念

本章では、どのようにして、あるいは何を目的として民主主義が誕生し、修正されたり発展したりしながら現在の形に整えられ、そしていかなる要因で歪められて機能不全に陥ったのかを解説していくが、まず最初にそもそも民主主義とはいかなるものなのかについて簡単に示しておこう。

民主主義とは社会を構成する人々が自分達の手で国家のあり方や政策を決定できる社会運営の方法論である。対置される方法論としては、王制や専制、貴族制、宗教による統治等が挙げられよう。そして、こうした政治体制の形態以上に民主主義にとって重要なのが、自由と平等という基本理念である。民主主義において最も尊重・優先されるべきは、政治学者ジョン・ロールズが「民主主義社会の正義」として明快に定義しているように、人々の自由と人々が平等であることである。つまり、人々の自由と平等が保障され、実現していてこそ民主主義社会、民主主義国家と言うことができるのである。中国や北朝鮮がいくら民主主義国家を標榜してもそれが説得力を持たないのも、今日われわれの社会で民主主義が実現しているかと問われた時、簡単には首肯し難いのも、人々の日々の生活の中で自由と平等が実質的に実現しているとは言い難い現実があるからなのである。

そして、これから紹介していく民主主義の誕生・発展の歴史は、人々が自由と平等を獲得・拡大していくプロセスであり、本章の後段で行う民主主義の機能不全に陥ったメカニズムの解説は、われわれの生活から自由と平等が奪い取られている要因の解明である。

② 近代民主主義の誕生

民主主義が明確な形で誕生したのは18世紀終盤、具体的には1789年のフランス革命とその時の「人権宣言」をもって契機とすることができるが、実はその約100年前のイギリス名誉革命にその萌芽(ほうが)を見ることができる。

イギリスの名誉革命は、当時のイギリスの貴族達が国王の専制に対して起こしたクーデターであり、一般の国民が起こして主権を獲得したわけではないので本来の民主主義革命とはされないのであるが、それまでほぼ無限大であった国王の権限に制約を課し、課税の対象や税率といった重大な国政の決定は有力貴族によって構成される議会の承認を必要とするという成果を得た。この成果は、国王の権力に制限を課したという意味において、後に人民による主体的決定権の獲得に繋がる「国家からの自由」の萌芽と見ることができる。

この動きの背景には、16世紀以降の宗教改革やルネサンスによって国家や教会というそれまでの絶対権力が相対化され、人々が内心の自由に加えて生活や行動の自由を希求する気運が高まって来ていたことがある。例えば当時、東インド会社による貿易を通じて有力な商業資本家が誕生していたが、彼らは自分達の財産と経済活動の利権を守るために、即ち国王の一存で税率が変更されたり、事業を営む権利を剝奪(はくだつ)されたりすることがないように「国家からの自由」を強く求めていたのである。

そして民主主義が、人々の自由と平等を最も重要な権利として、一般の国民の手によって国家運営の政治的決定を行うという本来の民主主義の姿として登場したのが1789年のフランス革命である。教会や貴族の特権を廃止し、人民の自由と平等を謳(うた)った「人権宣言」はフランス革命勃発直後に憲法制定議会で採択され、国王に承認させているし、革命勃発から3年後の1792年には財産の多寡（たか）や納税額にかかわらず全ての成人男性に選挙権が与えられる普通選挙制度が制定された。王政／専制君主制から人民主権の民主主義に実態として転換するためには、フランス革命以降80年以上にわたって、革命勢力による恐怖政治や専制、反革命、王政の復活、更なる市民革命の勃発等々幾多の変転があったが、そうしたプロセスを辿ってようやく1870年に第三共和制が成立し、民主主義が安定した形でフランスの統治形態として定着した。このように、数多くの闘争や歴史的トライ・アンド・エラーを経て人民一人一人の自由と平等が最も重要な基本理念として据えられ、社会の統治形態としての民主主義が誕生したのである。

「国家からの自由」を求めて大商人や貴族が起こしたイギリス名誉革命から、自由と平等を最高理念として掲げて普通選挙制度まで制定したフランス革命までの100年余りの間には、様々な民主主義的な思想が登場し、社会に広まっていた。例えば人は生まれながらに自由に生きる権利を平等に持つとする自然権の概念（ホッブズ、ジョン・ロック）や、人々は自由に生きる権利を持っているものの万人の万人に対する闘争状態は社会擾乱（じょうらん）を招くので、人々の権利の一部を政府に信託して社会の安定を図るのが合理的（従って人々の信託に応えられなければ政府は正当性を失う）とする社会契約論（ジャン＝ジャック・ルソー）などである。

こうした自由と平等を人間は生まれながらにして持つという思想が社会に広がり、それを普通選挙制として政治的制度として実現したことで、自由と平等を基本理念とし、そのための社会運営の方法論として普通選挙制度を採用するという民主主義のフォーマットが成立したのである。

③ 社会保障による民主主義の発展

人々の自由と平等を最も重要な価値として尊重し、人々の意思によって政治的決定を行うという民主主義の原型がフランス革命によって成立したものの、今日の民主主義の形がこれで十分に整ったわけではない。実際に社会の一人一人が実質的に自由と平等を享受するためには、実はもう一つ必要不可欠なファクターがある。人々の実質的な平等を実現するための再分配／社会保障である。

先にジョン・ロールズの民主主義の正義の要件を紹介したが、ロールズも正義の第一原理を「個人個人の自由を最大限尊重すること」とし、第二原理を「第一原理を大きく損なわない範囲において、人々の平等が保障されること」としているが、この第二原理の付則として「現実的な平等の確保のための手立てが行われること（再分配／社会保障のこと）」を明記している。

言い換えると、人々の自由を最大限に保障すると激しい競争が起こって勝者と敗者が生まれるため、勝者と敗者の間には実質的な平等が担保され得ない。従って、現実的に機会の平等を担保するためには勝者が成果を総取りするのではなく、敗者や弱者にも実質的な機会の平等が保障されるように政府が再分配を行う必要があるということである。

フランス革命が起きた18世紀終盤から19世紀にかけての時代は、イギリスにおいて産業革命が進行していた時期でもある。初期の産業革命の時期は、名誉革命によって国家からの自由（財産権）を得た大商人や有力荘園領主が東インド会社を筆頭にした貿易で資本を蓄積し、工場経営に乗り出していた。名誉革命によって富を追求し蓄積する自由を得た貴族／有力者は、資本家となって大規模工場経営に乗り出したのだが、そこで行われた工場経営はよく知られるように労働者にとっては苛烈なものであった。子供や老人にまで一日16時間以上の労働を強いたり、賃金も飢えをしのぐのにも不十分で病気に罹（かか）ると死を待つしかないという状態であった。

再分配／社会保障の必然性

こうした状態に対して、資本主義的横暴に歯止めをかけようとする動きが19世紀前～中盤に登場した。象徴的なのは1834年に成立した新救貧法である。自力では生きていくことができない貧困者を救貧院に収容し、何とか生きていくことができるレベルの仕事と賃金を与えるというものである。この新救貧法の成立を契機として19世紀中盤～終盤にかけて失業者や高齢者に生きていくための手当てや年金を給付する制度が徐々に整備されていった。

こうした社会保障／再分配の考え方は二つの要因によって成立した。産業革命によって登場した資本主義が自由放任主義の下で無制限に許容されると必然的に多くの貧困を生み出すが、資本主義の強欲によって生きていくことすらままならない人々に対する同情と救済の感情が社会に広まったという人道的な理由が一つ。もう一つは、過酷な労働を強いることで労働者の消耗が激しくなり労働力の再生産・再調達が非効率になるという功利的な理由である。この二つの理由は、圧倒的に富める強者と生きていくことすら難しい弱者という大きく平等を欠いた社会は世の中の正当な姿ではないという考え方と、資本家には自由に活動し合理的に儲ける権利があるという、民主主義を構成する自由と平等という二つの基本理念がバランスして成立したものと考えることができる。

こうした考え方を提唱した当時の代表的思想家としてジョン・スチュワート・ミルが挙げられる。彼は19世紀中盤までは神の手による市場メカニズムを尊重すべしとして自由放任主義を唱えたアダム・スミスと同じく自由主義論者であったが、弱肉強食が行き過ぎた当時の労働者の実態を見て19世紀後半には経済学的観点からも政治的観点からも政府による再分配機能の必要性を説き、階級対立に基づく社会擾乱の回避策として社会保障によるセーフティーネットの構築を主張する立場に転じた。イギリスは他国に先駆けて産業革命が起こったために、他国に先駆けて貧困と格差の問題を経験し、ミルらの提唱した再分配/社会保障の施策を導入することによって深刻な階級対立と革命を回避することができたが、こうしたプロセスを取らなかったフランスでは長年にわたって激しい階級対立が続き、国民の血が流される革命に至ってしまったことに留意しておく必要があろう。

こうした歴史的経緯を経て得るべき教訓は、資本主義の下で人々が自由に活動すれば、必然的に格差と貧困が生まれ、平等が損なわれる。従って、自由と平等をバランスさせて社会を安定化し、人々が自由と平等を現実的に享受するためには、その格差を埋めるための再分配/社会保障が不可欠であるということである。端的に言えば、資本主義は再分配

／社会保障を伴ってこそ民主主義社会において持続的に機能し得るのである。

こうして20世紀に入る直前になってようやく、自由と平等を社会の基本理念として据え、資本主義の構造的弊害である格差と不平等を緩和する手立てとして再分配／社会保障を導入することによって、人々は自由で豊かな生活を営むことができ、安定した社会運営が可能になるという、民主主義社会の基本型が整ったと見なすことができるのである。

④ 資本主義と社会主義

以上のようなプロセスを経て、19世紀後半に自由と平等を旨とする民主主義が確立されたわけであるが、20世紀になると民主主義は新たな展開を見せる。民主主義の二つの基本理念である自由と平等が、言わば分裂した状態での政治形態が登場して来たのである。より正確に言うならば、自由と平等という二つの理念に対するウェイトの置き方が大きく異なった政治形態として、資本活動の自由を最大限に重視した資本主義と人民の平等を最大限に重視した社会主義との対立的並存である。

19世紀後半のイギリスにおいて再分配／社会保障が無ければ社会は安定せず、健全な経済の発展も困難になることを経験したばかりであったので、資本主義国においても再分配や社会保障を全く無視するわけではなかったが、資本の活動を活発化し、経済発展に寄与する範囲において社会保障も実施するというのが20世紀初頭のイギリスやアメリカ、フランスを代表とする資本主義国のスタンスである。

一方の社会主義国は、人民の平等を最重視し、資本家の蓄財や特権化を容認せず、そうした特権化や格差の原因となる生産手段の私有を禁じて、労働者によって構成される共産党が政治を一党独裁で司るという統治形態である。このような社会主義国が誕生したのは、ロシア革命によって皇帝と貴族による政治を労働者が打破することによってソビエト連邦が1917年に成立したのが最初であるが、その後多くの東欧諸国に共産主義革命が波及し、20世紀中盤には資本主義国と社会主義国の勢力は拮抗するまでになった。

皇帝と貴族を断罪・追放し、国家主権を国民の手の下に置くという意味では、ロシア革命も100年以上前のフランス革命と同じなのであるが、フランスではブルジョワジーや公務員や商工従事者、農民といった社会の各分野、各階層の人々がそれぞれ寄り集まって（共和して）政治を決定するという共和制に移行したのに対して、ソ連ではハンマーと鎌のソ連国旗に象徴されるように工場労働者と農民による労働者独裁の共産主義になったのが大きな違いである。共和制も共産主義も人民は基本的人権を保有し、人民によって政治が決定されるという意味においてはどちらも民主主義の一形態と言うことはできるのだが（だからこそ、中国も北朝鮮も国名に民主主義とか共和という名称が使われており、人民主権を標榜している）、共産主義、社会主義においては資本家だけは認められない。

ミルとマルクス

実は19世紀後半のイギリスで社会の安定化のためには政府による再分配／社会保障が必要であることを説いたジョン・スチュアート・ミルとほぼ同時代に、資本主義自体を否定する主張を行った経済学者がいる。カール・マルクスである。マルクスは、資本主義においては資本家が労働者を使役して産出した富を独占的に収奪し、労働者は生産活動を維持するために必要な分だけの分配、つまりやっと食べていくことができる最低限度の所得しか得ることができないという資本主義経済の必然的メカニズムを喝破（かっぱ）して、資本主義を否定する説を唱えた。そして、多数の人民＝労働者が豊かになるためには資本家対労働者の階級対立構造を革命によって打破し、労働者独裁の共産主義国家を樹立する必要があると主張したのである。

ミルもマルクスも19世紀後半の工業化が進展していく社会を観察し、労働者の貧困や格差の問題を同じように認識していたわけであるが、ミルは資本主義的生産システムを有効利用することによって国力を上げ、社会を安定させるための方策として再分配／社会保障という処方箋（しょほうせん）を示したのだが、マルクスは資本主義経済においては貧困と格差は構造的な問題であり、資本主義自体を否定しなければ労働者は豊かにはなり得ないという結論を持ったのである。

こうした二つの経済理論はそれぞれに妥当性を持つわけであるが、なぜイギリスが再分配／社会保障を導入して資本主義を発展させ、ロシアは資本主義を全否定して共産主義国になる道を選択したのかについては、当時のそれぞれの国の国際的地位や社会の発展段階が関係している。イギリスは産業革命を最初にやり遂げた国で、18世紀以降世界において経済的にも軍事的にも最強の国家であった。一方ロシアは、そのイギリスやフランス、アメリカといった民主主義革命と産業革命をいち早く実現した先進国と比べると、20世紀に入ってもいまだに皇帝が多くの農奴を支配する前近代的な統治形態だった。従って、ブルジョワジー主導の産業革命を起こそうにも資本家が育っておらず、イギリスやフランスと同様の国家発展の経路を取ることが不可能だったのだ。

また当時はいち早く産業革命を果たして経済力をつけた先進国が世界の後進国を植民地

化する競争の真っただ中であり、アジアの巨大国であった清が世界の列強によって分割され植民地化されたのを見て、ロシアは焦燥感と恐怖にかられ、短期間のうちに強力な国家体制を構築する必要があったのだ。そのため、ブルジョワジーを育て、資本を蓄積して産業革命を起こすという通常の資本主義国が辿る経路では時間がかかるので、国家が強力な権力を握って国家主導の形で短期間で産業育成を行うことが可能な統治形態として共産党独裁の統治形態を採る必然性があったのである。

ちなみに、ほぼ同時期に日本もロシアと同様の国際的ポジションにあったのだが、日本はアメリカによって開国され、イギリスとフランスを政治顧問、軍事顧問にしていたために、それらの国の影響で共産主義化の道は辿らなかった。とは言え、経済的にも社会構造的にも先進国と比べると後(おく)れた国家であったため、当時の国際競争にキャッチアップするための産業の発達は官営富岡製糸場や官営八幡製鉄所の例に見られるように国家主導による形態を取った。つまり当時の国際競争の中では、ロシアや日本などの〝後れた国〟が一歩先を進んでいる英、米、仏のような強国に属国化されないようにするためには、強大な国家権力による全体主義的な手法による殖産興業と富国強兵策を取らざるを得なかったのである。

いずれにせよ、ロシアは労働者革命を経て共産主義という資本主義とは根本的に異なった経済システムを持った、もう一つの民主主義を打ち立てた。そしてこれを契機に人類は二つの種類の民主主義、即ち自由を重視し資本主義と表裏一体となった自由主義的民主主義と、平等を重視し資本主義と訣別した社会主義的民主主義の相克の時代に突入したのである。

2 民主主義の勝利と衰退

① 自由と平等の相克

実は、民主主義の二つの基本理念である自由と平等は根本的に調和的並立が難しい。ある一人の自由が行き過ぎると他人の自由を侵蝕してしまうことになりがちで、その時点で平等が損なわれる。経済活動において自由を尊重すれば弱肉強食のメカニズムによって格差と貧困が必然的に生じ、平等は成立しない。かといって経済を平等原則で運営しようとすると、どんな仕事をしてもどんな成果を挙げても平等な報酬しか得られないのではモチベーションは湧かないし、職業選択の自由や適材適所すら成立しなくなってしまう。つまり平等原則の経済では効率的に富を産出することができず、人々が豊かになるのが難しくなってしまうのだ。

このように、根本的に不調和な性質を持つ二つの基本理念である自由と平等の相克を、資本主義と社会主義という二種類の国家統治の形態の対抗によって行った歴史実験とも言えるのが、1917年にソ連が誕生して以降の冷戦構造なのである。冷戦構造や資本主義対社会主義の対立は経済の方法論の問題として語られることが多いが、その背景には人間にとって、人間社会にとって最も重要な価値である自由と平等という理念や思想の問題が存在していると理解すべきであろう。

自由と平等のどちらがより重要かという問いに対して、理念的にあるいは思想的に答えを示すのは難しい。どちらも人間と人間社会にとって欠くべからざる最も重要な価値である。この深遠な問題に現実的に決着をつけたのは、人間が生活を営んでいく上で最も重視するもう一つの価値である経済であった。市場メカニズムによる投入量・産出量と価格の最適化を経済の基本ルールに据えた資本主義陣営が、経済成長において、即ちどれくらい速く高いレベルで豊かになれるかという競争において市場メカニズムを採用しなかった社会主義陣営を凌駕(りょうが)した。経済成長率の差はそのまま国力、軍事力の差となって、社会主義陣営はアメリカを中心とした資本主義陣営との競争に敗れた。そして1991年にソ連は崩壊し、ソ連の傘下で社会主義を採用していた複数の東欧諸国もそれに続いた。自由と平等という理念の相克は、お金と暮らしという現実によって決着したのである。

ただし、共産主義や社会主義は国家の統治形態として非現実的で無力なのかというと、必ずしもそういうわけではない。例えば中国は1993年以降、共産党一党独裁を維持しながら、資本主義の最大の発明である「市場」を経済活動に取り込むというアクロバティックな政策によって社会主義市場経済という国家運営形態を採用して目覚ましい経済成長を続けている。キューバでは、人民の平等を原理主義的に守りながら、生産財の私有を認めないまま共産主義を原則維持し続けている。キューバの国民は資本主義国家のような物質的豊かさには無縁な生活をしているが、日々の生活に対する満足度は低くないし、1959年の革命以来60年以上経った今まで内乱やクーデターのような混乱も見られない。つまり、キューバの例が語るように、平等を第一義に重視し、次いで自由も尊重するという社会形態も、ある程度の貧しさを甘受すれば現実的に成立すると理解すべきであろう。

緊張感あるバランス

以上のように、20世紀に入って自由と平等という民主主義の二つの基本理念の相克が資本主義対社会主義という形で歴史的社会実験としてなされて来たのであるが、この歴史の経緯から読み取るべきなのは、資本主義国が社会主義国に打ち勝ったのだから自由を平等に優先させるべしという短絡的な教訓ではない。第二次大戦後の冷戦期においてアメリカを代表例とする資本主義国において常に意識されたのは、むしろ平等への配慮であった。

どういうことかと言うと、資本主義経済の下では必然的に格差と貧困が発生する。この格差と貧困が大きくなり過ぎると社会は安定を欠き、臨界点を超えてしまうとロシアで起きたような労働者革命が発生して共産化が進んでしまうという懸念に対して、そうした事態を未然に防ぐために政府も大企業も再分配や社会保障の充実に配慮したのである。1970年代までアメリカでも日本でも高額所得者に課す所得税の最高税率は80％以上であったし、年金や失業給付は社会主義国に遜色ないレベルで充実させた。イギリスなど、「ゆりかごから墓場まで」と言われるほどに手厚い社会保障制度を整備して財政危機を招いてしまうほどに再分配／社会保障を重視していた。

われわれがこうした歴史的事実から学ぶべきは「再分配／社会保障という支えがあって

こそ、資本主義経済の有効性と健全性が担保される」ということである。つまり教訓は、自由と平等とは調和的並存が困難ではあるものの、どちらか一方を偏重してしまうと経済も社会も破綻する。自由と平等の緊張感あるバランスが保たれてこそ民主主義と資本主義は健全な形で社会を安定させ人々を豊かにするということなのである。

② 資本主義と民主主義の幸せな関係

ところで、ソ連の崩壊は1991年であるが、そのタイミングまで資本主義国ではどのような政治と経済の運営がなされていたのかについても、簡単に紹介しておこう。

資本主義国では、資本主義経済ならではの恐慌という試練を経験し、その試練を乗り越えるための資本主義の修正策を編み出したことによって、資本主義と民主主義の調和的並立関係を享受することができた。そして第二次大戦後の約30年間にわたって資本主義陣営が社会主義陣営を凌駕する要因となった経済の拡大と社会の安定を作り出すことにつながった、〝資本主義と民主主義の幸せな関係〟とも言える状況が成立していたのである。

この〝幸せな関係〟のスタートは資本主義に固有の大きな不幸が起点となった。

ソ連が誕生した1917年から10年余り経た後の1929年に、アメリカ発の世界恐慌が発生したのだ。資本主義経済特有の景気循環を背景に、ニューヨーク株式市場の暴落が引き金になって大銀行の閉鎖や大企業の連鎖倒産が起き、大不況が到来した。この大不況はアメリカ一国では収まらず、銀行の連鎖倒産によって世界中を巻き込み、世界大恐慌に発展し、4～5年の間は回復の見込みもなく、世界中が大不況の奈落に沈められた。どれくらいの衝撃であったか、アメリカ経済の惨状を簡単に記しておくと、株価は80%以上暴落し、GDPはマイナス45%まで落ち込み、失業率は25%に達して、全米中が失業者、ホームレスで溢れた。大不況は容易に回復せず、恐慌が発生してから4年後の1933年にはアメリカの全ての銀行が業務停止に追い込まれた。1934年になって政府が大幅な財政出動によってフーバーダムの建設等の公共事業を行い、その支出で失業者を雇用するという「ニューディール政策」を敢行するに至ってようやく回復軌道に乗ることができた。

それまでの資本主義国における経済政策の基本スタンスは、市場における〝神の見えざる手〟に委ねるのが最善として、市場メカニズムを尊重し、政府は可能な限り介入しないというものであった。これに対し、この時世界恐慌から脱する契機となったニューディール政策は、政府が大きな財政出動をすることで大きな需要を創出し不況時の需要不足を埋めるという、それまでの〝小さな政府〟型の経済政策とは全く逆の方法論の経済政策であった。

こうした経済の安定化のためには政府の財政支援が必要かつ有効であるとする経済政策は、この手法を提言したジョン・メイナード・ケインズの名を冠して「ケインズ主義の経済政策」と呼ばれ、この時以降、アメリカだけでなく、景気変動の谷を埋めるために多くの資本主義国によって採用されるに至った。

ところで、このケインズ主義の経済政策は、19世紀後半にジョン・スチュアート・ミルが提唱した社会保障政策と方法論的類似性が高いことに気づかれた方もおられるであろう。資本主義経済において自由を尊重し市場メカニズムに委ねる形で経済を運営すれば、必然的に格差と貧困が生まれる。その格差と貧困が増幅すると社会全体の活力が失われ、経済全体の成長が損なわれる。従って政府が格差と貧困を解消するために再分配／社会保障を行うことで、社会を安定させ経済を発展させることが可能になるというのが、ミルによる再分配／社会保障の必要性を説く主張であった。

ケインズによる資本主義の修正：公共の役割

ケインズが提唱したのは、政府の財政出動によって公共事業を作り出し、企業に売り上げを、失業者には職と所得を与えることで景気の山谷を埋めて経済を安定させるものであった。ミルの再分配／安全保障が埋めようとしたのは個人間の貧富の格差であり、ケインズが埋めようとしたのは国民経済全体の好景気と不況の山谷であるという対象の違いはあるものの、市場メカニズムによって必然的に生じる〝格差〟や〝山谷〟を政府が埋めるという点で、本質的には同様の方法論である。つまり資本主義と市場メカニズムが根源的に孕んでいる格差と変動を政府が公共的役割として平準化することによって、経済は健全に運営され、社会は安定して、人々は豊かさを享受できるということが分かるであろう。

このようにして、第二次世界大戦後の20世紀後半の世界は政治的には米ソ対立の冷戦構造にある中で、経済的にはアメリカをリーダーとする資本主義国においてはケインズ主義型の経済政策が主流となった。前項で米ソの対立構造は、米ソともに民主主義、即ち国民が政治的意思決定の主権を有するとするものの、経済においてはアメリカなどの資本主義国は資本の自由を最優先するのに対して、ソ連を筆頭とする社会主義国は人民・労働者の平等を最優先するという全く異なる方法論の対立の構図だと説明した。この観点からケインズ主義型経済政策を評価しておくと、資本の自由と市場メカニズムの優先が行き過ぎると格差や景気変動のギャップが大きくなり過ぎるので、そのギャップを埋めるためには政府による公的介入を行うことが必要かつ有効であるというのがケインズ主義のメインメッセージである。その意味においてケインズ主義は純粋な自由主義政策と比べると〝修正主義的〟と評することができよう。このためケインズ主義は「修正資本主義」とも呼ばれている。

20世紀後半のほとんどの資本主義国はアメリカ発の世界恐慌のダメージと、そのダメージへの対応策として取ったブロック経済による各国の対立が第二次世界大戦という未曽有の惨事を引き起こしたことへの反省からケインズ主義型経済政策を採用した。この政策は各国で奏功し、経済の発展と社会の安定と、そして人々の豊かな生活を実現した。アメリカでは50年代〜60年代にゴールデンエイジと呼ばれる繁栄を謳歌(おうか)し、イギリスでは「ゆりかごから墓場まで」と称される手厚い社会保障制度が整えられ、日本では「一億総中流」と言われるほどに国民全員が豊かな生活を享受できるようになった。こうした経済力の発展と政府に対する信頼感に基づいた社会の安定が資本主義国の国力の持続的発展を実現して、社会主義国との冷戦に勝利する要因となったのである。

③ 新自由主義への転換

第二次世界大戦後、ケインズ主義型の経済政策を取った資本主義国はもちろん民主主義国であり、そこでは自由と平等という二つの理念が共存し、実現していたと見ることができる。企業は資本主義のルールに則って市場の中で切磋琢磨（せっさたくま）して順調に発展を遂げ、政府が積極的に再分配や社会保障を実現して人々は経済成長の果実を享受するという好循環の成立である。つまりこのフェーズでの資本主義国家においては、資本主義が民主主義と良き形で共存し得ていた。資本主義の成果である豊かな富がより良い民主主義を実現していたと言うことができよう。

ソ連の崩壊によって資本主義国における自由と平等のバランスが崩れてしまったことについては前述したが、実は１９９１年のソ連崩壊の10年余り前からこうした資本主義と民主主義の良き関係を困難にする別の要因が発生していた。財政赤字の拡大と石油危機である。

典型はイギリスである。「ゆりかごから墓場まで」の手厚い社会保障を整えて社会の安定を実現したのは良かったのだが、公共部門が肥大化し、市場メカニズムによる競争と淘汰が進まなかったために、社会主義国と同様の非効率化が起こり、国力が低下した。アメリカでは大企業を中心に経済力は発展していたものの、ソ連との冷戦による軍備費、ベトナム戦争に要する戦費が財政上の重い負担となっていた。

そうした状況の中、1973年と1979年に2回のオイルショックが起きた。世界中の国々にとって、オイルショックによる原油価格の高騰は全企業、国民生活全般に対するコストアップとなり、景気が停滞し、それまで高度経済成長を謳歌していた国民経済に冷水を浴びせかけることになった。このショックで世界経済全体が沈滞し、約30年間にわたって世界を豊かにして来ていたケインズ主義型の経済政策が立ち行かなくなってしまった。不況になった時に政府の財政支出によって総需要を嵩上(かさあ)げして、経済を活性化させるというのがケインズ主義型の経済政策だが、各国政府は既に財政赤字が大きく膨らんでしまっていて大幅に追加的財政支出を行えるほどの余力が無かったためである。

こうした状況の中で注目を集めるようになったのが、フリードリヒ・ハイエクやミルトン・フリードマンが提唱する新自由主義である。新自由主義は市場原理を再評価し、政府による市場への介入を最小限にすべきであるという考え方で、言うなればケインズによる修正資本主義以前の姿への回帰である。具体的には、これまでの大きな政府的な政策から一転し、公共サービスや社会保障の縮小、公共事業の民営化、規制緩和等々を積極的に推進しようとするものである。

この新自由主義は「ゆりかごから墓場まで」の重い財政負担と経済沈滞に苦しんでいたイギリスと、冷戦対応とベトナム戦争での軍事費負担でスタグフレーションが起きていたアメリカで、まず採用された。イギリスのサッチャー政権では〝サッチャリズム〟、アメリカのレーガン政権では〝レーガノミクス〟として、1980年に新自由主義型の政策を次々に打ち出し、ケインズ型経済政策による修正資本主義の行き過ぎた〝修正〟部分を切り捨てることになった。こうした〝修正〟の切り捨ては企業と労働者に〝喝（かつ）〟を入れることになり、一定の成果を挙げた。

ちなみに、日本は第二次オイルショックから唯一かついち早く立ち直っていたため、サッチャリズム、レーガノミクスに匹敵するほどのドラスティックな新自由主義政策の導入は実現しなかったが、1982年〜1987年の中曽根政権主導で公営企業の民主化や行政改革が行われて以降、新自由主義は日本でも経済政策の基本方針として定着した。

このように、1991年のソ連崩壊前夜の資本主義国では、新自由主義が既に採用されており、ソ連の崩壊によってグローバル単一市場が成立したこと、冷戦時代には国家の防波堤として設けられていた資本取引や貿易に関する様々な規制が取り払われたことを契機に、一気に新自由主義的経済活動が広がり、1990年代以降、世界は新自由主義経済体制になったのである。

そしてこの新自由主義経済体制の下で、第I章で紹介したような資本主義の暴走が始まったのである。

④ 民主主義の機能不全

以上のような経緯で新自由主義の世界が現出し、格差を埋めて社会を安定させるための〝修正〟の軛(くびき)から解放された資本は自らの収益拡大と支配力強化のために暴走を始める。前置きが少々長くなったが、この資本の暴走によって民主主義が機能不全に陥ってしまったプロセスを以下に明らかにしていこう。

民主主義の機能不全とは二つの意味を含んでいる。

一つ目の意味は、民主主義の核心を成す二つの理念である自由と平等のうち、平等が大きく損なわれていること。格差がどんどん拡大していき、多くの人々が貧困から抜け出せない状況が起きているという問題については、第I章で具体的に示した通りである。

そしてもう一つの意味は、社会を運営する方法論としての民主主義にとってはこちらの意味の方がより重要かつ深刻な問題なのだが、民主主義の本質的要件である「国民による政治的決定」が実質的に成立し得ない状況になっているということである。民主主義とは一義的には、国民一人一人が政治的意思決定に参加し（具体的には平等な選挙権を行使し）、国家がどのような政策を取るのかを決める政治体制のことである。

この民主主義の民主主義たる由縁である国民による政治的意思決定機能が、資本の暴走によって多くの資本主義国において成立しなくなっているのである。

3　資本による政治の買収

なぜ、新自由主義の下で国民による政治的意思決定機能が損なわれてしまったのか。そこで起きたのは「資本による政治の買収」とでも呼べる事態である。政治学者トーマス・ファーガソンの言葉を借りるなら、「選挙とは国家の支配権を得るための効率の良い投資である」という状況に現代の資本主義国は陥っている。現代の選挙、そして現代の政治は、資本にとっての投資対象、つまり商売であり、しかも新技術を開発したり、こつこつモノ作りをしたりするよりも効率の良い儲けるための手段になってしまっているというのが、ファーガソンが喝破した資本主義国家における今の民主主義国の政治の姿なのだ。

このような「資本による政治の買収」と言える状況を二つの面から説明していく。一つは「政党の買収による政策の支配」、もう一つは「メディアの買収による情報の支配」である。

まずは、その国においてどのような政策が実現するのかという面について、資本がいかにして金の力で政党を買収し、資本にとって都合の良い政策を実現しているのかについて見ていこう。

①資本による政治への投資：政治献金とロビーイング

この現象が最も進んだ国としては新自由主義国の盟主であるアメリカが挙げられよう。2014年に連邦最高裁判所が政治献金の上限額を実質的に撤廃する判断を示して以降、アメリカでは選挙に際して巨額の金が動くようになった。アメリカの有力政治家は数十億円〜数百億円単位の政治献金を集めている。当然ながらその資金の出し手の中心は、大企業、金融業者らである。

例えば2016年のアメリカ大統領選挙で民主党候補として選出され、最も多くの政治献金を集めたヒラリー・クリントンは、資産運用管理会社のパロマ・パートナーズ（Paloma Partners）社から22億円、ベンチャーキャピタルのプリツカー・グループ（Pritzker Group）社とヘッジファンドのルネサンス・テクノロジーズ（Renaissance Technologies）社からそれぞれ17億円などをはじめ、総額770億円を献金されている。またその時の大統領選を制した共和党のドナルド・トランプも450億円以上の献金を集めたし、共和党の代表になれなかったマルコ・ルビオやジェブ・ブッシュもそれぞれ160億円、155億円と巨額の政治献金を得ている。こうした数十億円〜数百億円という巨額の政治献金が、アメリカでは民主主義上の合法的な手段として企業や有力者から政治家に流れているのである。

さらに、ダークマネーと呼ばれる政治献金について触れておこう。これは匿名（とくめい）による政治献金を指し、2006年時点では政治献金のうち匿名のものの割合は25％であったが、2014年には71％が匿名になった。多額の政治献金をもらった政治家は当然ながら、その献金の出し手の意向に添った政策を通そうとする。献金の出し手の意向に背く政策を推進すると、次回の選挙の時に献金が打ち切られてしまい、当選がおぼつかなくなるからである。

それでも、多額の政治献金の出し手の顔ぶれが明らかにされていれば、有権者はその政治家の政策を読み取ることが可能である。もしある政治家が口では環境保全を訴えていたとしても、その政治家が自動車業界から多額の献金を受けていれば、厳しい排ガス規制の導入には消極的にならざるを得ないことを予想できるからである。

しかし政治家への献金が匿名で行われるようになると、有力者はその候補者がどの業界の利害を背負って立候補しているのかを判別できなくなる。巨額の献金だけでもその政治家の政策に強力なプレッシャーをかけることになるが、その巨額の献金が匿名化してしまうと、有権者はその政治家の本音を読み取ることが難しくなってしまうのである。

資本による政治家／政党の買収の手段としては、巨額の政治献金と並んでロビーイング、即ち特定の政策を推進するための陳情活動も挙げられる。

金融業界、石油業界、軍需産業によるロビーイングは特に活発で、それらの業界は政治献金とは別に毎年数億円〜数十億円のフィーを有力ロビイストに支払って、有力政治家に対して自分達の業界に有利な政策を推進するよう陳情を続けている。そしてこのようなロビーイングを行っているロビイストは全米で約3万人もおり、高額の報酬を得て日頃からワシントンで有力政治家に働きかけを行っている有力ロビイストだけでも2000人～3000人もいると言われている。われわれ日本人には想像を超えるロビーイング活動のスケールの大きさである。

投資のリターン

選挙に際しての政治献金と日頃からの継続的ロビーイングのセットは強力である。実際、資本によるこうした政治への投資行動は大きなリターンを生んで来た。

例えば、金融業界の例でいえば、リーマンショック時のケースが典型的であろう。世界中を金融不安と大不況に巻き込んだ2008年のリーマンショックは投資銀行による半ば確信犯的なリスク商品の拡販が原因であったが、その時の政府の対応は「Too Big To Fail（大きすぎて破綻させられない）」という理由で、3・7兆ドル（約350兆円）もの公的資金を投入して多くの投資銀行を救済し、投資銀行の経営者達は巨額のボーナスを手にして勇退した。2000年初頭に起きたITバブル崩壊の際には300以上の金融機関（S&L）が倒産させられ、300人以上の金融機関の経営者が財産没収の刑罰を受けたのとは対照的である。こうしたアンフェアとも言える対応がなされたのは、日頃からのロビーイングと巨額の政治献金の〝投資効果〟だと見なすことができよう。

リーマンショック以降も金融業界からの政治家／政党に対するロビーイングは恒常的に続いている。リーマンショックを経験して、大手金融機関は公的資金によって救済されたものの、オバマ政権の下でこうした金融事件を防ぐための規制としてドッド－フランク法が制定された。大手金融機関がリスクのある金融商品や取引を行うことに対して厳格な規制をかけた内容の法律である。

このドッド－フランク法は大手金融機関が強欲に儲けようとすることに対して有力な歯止めとなっているのだが、オバマ政権が終わってトランプ政権が成立した途端に、このドッド－フランク法に対する規制緩和の働きかけが活発化している。フォーチュン誌の記事によると、ヘッジファンドからの有力政治家達への政治献金の額は800億円に上っているということである。その結果、トランプ政権誕生後の2018年にはドッド－フランク法を一部改正する法案が下院で可決され、トランプ大統領はこれに署名した。リーマンショックという大きな代償を払って成立させた大手金融機関の暴走にタガを嵌（は）める法律が、わずか10年ほどで切り崩され始めたのである。

巨額の政治献金とロビーイングによる政策のコントロールは、金融業界だけの話ではない。オバマ大統領は環境保全や気候変動問題を重視していたが、アメリカ石油協会（API）はそれまで毎年300万ドルであったロビーイング予算を、オバマ政権誕生後は600万ドル～900万ドルと2～3倍に増額して強力なロビーイング活動を展開した。その結果、ロビーイングを受けた議員達の反対票によってオバマ政権が推進しようとした環境規制法案はほとんど廃案にされてしまった。またAPIの強力なロビーイングと巨額の政治献金はトランプ政権になってからも継続され、2019年にはアメリカは厳しい環境保全基準を定めたパリ協定から脱退するに至った。

軍需産業の政治献金とロビーイングについても事情は同様である。アメリカは第二次世界大戦以降、〝世界の警察官〟を自認しながら、朝鮮動乱、ベトナム戦争の後も常に世界の紛争地に軍事介入を続けて来た。その結果、今やアメリカは世界で最も軍事的争いに介入した国となっている。これも軍需産業からの要請があってのことと言われている。

民主主義的決定権の消失

以上、政治献金とロビーイングという投資活動によって資本が政策をコントロールしている実態を簡単に紹介して来たが、実はこれらの活動が民主主義に対して及ぼす深刻な事実がある。深刻な事実とは、資本にとって政治献金もロビーイングも収益を得るための純粋な投資活動と見なされていて、政治的な理念とは無関係に行われるのである。例えば、先ほどヘッジファンドによる政治献金の額が800億円にも達している事実を紹介したが、800億円のうち6割がかねてより金融業界と関係の深かった共和党へのものであるが、残りの4割は民主党への献金である。また2016年の大統領選の予備選に際して民主党のヒラリー・クリントンは4000億円もの資金を集めたが、最大の資金の出し手は金融業界であった。つまり、金融機関にとっては共和党も民主党も関係なく、政治家/政党全体が投資の対象であり、だれが勝っても、どちらの政党が政権に就いても、自分達の利害と合うような政策を推進させるような構造になっているということなのである。

そしてこの構造がもたらすのは、有権者にとってはどの候補者に投票しようが、どちらの政党を選ぼうが、結局は資本の意向が反映された政策が粛々と実現されていくという現実なのである。ここでは国民一人一人の意思によって国家の政策が決まるという民主主義の政策決定のしくみは機能し得ない。資本による政党の投資、買収によって、有権者は実質的な民主主義的決定権を喪失させられたのである。

② メディアの買収による情報のコントロール

政党の買収による政策のコントロールに加えて、資本は政治をコントロールするためにもう一つ別の投資／買収も行って来た。世の中に流れる情報を牛耳ることによって国民の意識と投票行動をコントロールしようとするものである。

6大ネットワークの支配

民主主義における国民の自律的政策決定はフェアで十分な情報が得られてこそ、国民一人一人が自分の利害と問題意識を反映させた投票行動が可能になる。そして国民が政治や経済をはじめとする世の中の出来事やその出来事がもたらす事態についての情報を得る手段は、もっぱら新聞やテレビといったマスメディアであった。アメリカではNBC、CBS、ABCという3大ネットワークがテレビの全国放送を牛耳っており、主にケーブルテレビの番組を提供している新興ネットワークも、大手はFOX、The CW、マイネットワークTVという3社である（両者を合わせて6大ネットワークと呼ばれる）。アメリカの新聞は日本と比べて発行されている新聞の数自体は1000以上と多いものの、各社とも発行部数が小さく、最大のウォールストリート・ジャーナルでも200万部程度であり、世論形成への影響力は相対的に小さい。従って、新聞はともかく、テレビでの報道や番組内容を牛耳ってしまえば、世の中に流れる情報の大勢をコントロールすることができるわけである。

当然のことながら、旧来からの3大ネットワークも新進の3つのネットワークも民間の営利企業であるため、その経営は企業からの広告費に依存することになる。従って、大企業が政治家に献金するのと同様に、大企業や特定の業界が自らの利害に合致した報道や番組を放送してくれるように広告費を手段として活用するのは、企業として当然の合理的投資行動である。大企業にとって不利な情報、例えば自社の製品が環境問題や健康問題を抱えているとか、ある金融商品が大きなリスクを孕んでいるといった情報は通常スポンサーからの圧力によって報道されない。当然ながら、巨額の政治献金によって政策をコントロールしている大企業や業界のスキャンダルや〝不都合な〟事実に関しては、全国民の問題意識を喚起するようなスケールで大々的に報道されることはない。その結果、有権者はコントロールされた情報しか与えられていない状態で政治や経済について判断させられてしまうのである。

SNSの支配

それでも大資本が支配するマスメディアが情報をコントロールしていた時代が終わって、インターネットの時代を迎えた今は個人はフェアで十分な情報を得られるようになったのかというと、そうではない。個人が自由に発信、発言できると言われるインターネットの世界も、既に資本による支配と情報コントロールが進んでいるというのが現状である。

分かりやすい手立ては情報発信者の買収や意図的な偽情報（フェイクニュース）の発信である。マスメディアと違って、インターネット上では個人による情報発信が可能になったため、インターネット上の一つ一つの個別の情報の信憑性(しんぴょうせい)に対するチェック機能が相対的に低下した。資本はこの点につけこんで、100人単位、1000人単位で情報発信者を買収して、即ち投資して、偏向した情報を世の中に流し、更にSNS等を通じて社会に拡散して、比較的容易に一つのムーヴメントを作れるようになった。

単なる個人発信者だけではなく、インターネットを通じての情報の収集、分析、発信、拡散を行う組織やプロフェッショナルを巻き込んでの〝投資〟を行えば、マスメディア時代以上の世論形成や世論操作も可能になる。

一つの例が、２０１６年のアメリカの大統領選挙においてトランプの支援を行ったイギリスの広告会社「ケンブリッジ・アナリティカ」の活動である。ケンブリッジ・アナリティカはデータ戦略において民主党に後れをとっていた共和党を支援するための様々な情報戦略を企画し、実行した。例えば、アメリカの有権者に関する約５０００に及ぶデータ項目を設定し、インターネットの閲覧履歴、購買データ、宗教的志向、ＳＮＳにおける投稿志向、投票記録などに関する巨大なデータベースを構築し、このデータベースを使って様々な選挙運動や広報施策を立案・実行したのだ。このデータベースは多くの個人情報が含まれていたために、それらの施策は的確で、大きな効果を挙げ、トランプ氏の当選に大きく貢献したと言われている。これらの施策の中にはフェイクニュースや規制に反した個人情報の活用も多々含まれていたが、勝てば官軍であり、選挙結果が無効になるわけではない。

世界的に進む資本による情報支配

以上に紹介して来たような、資本による情報のコントロールによって、民主主義が健全に機能するためのフェアな情報の取得が困難になっている現象は、アメリカだけのものではない。イギリスにおいてもＥＵ離脱の是非を問う国民投票に際して、離脱推進派の「Vote Leave」はトランプ－ケンブリッジ・アナリティカと同様の手法を使って世論を形成した。

日本では資本による買収以前に、「記者クラブ」制度によって、そもそも政治情報報道が政権・行政にコントロールされている。政治／行政関連のニュースは大手メディアだけで構成される記者クラブに対してのみ政権／行政組織から与えられるため、日本の政治・経済に関する報道は事実上の政府広報になっている。仮に、あるメディアが独自取材に基づいて、政権／行政が流した記者クラブ経由の広報と異なった報道を行った場合は、そのメディアは記者クラブから外されてしまい、政治・経済関連のニュースを配信できなくなってしまうという現実がある。

このしくみのために、大震災による福島第一原発の事故に関する報道において、実際は即日メルトダウンが起きていたにもかかわらず「メルトダウンは生じていない」との報道が繰り返し流されたり、アベノミクス実施以降労働者の実質賃金は低迷し、国民生活は困窮化の一途を辿っているにもかかわらず「戦後最大の好景気」報道が続けられて来たという実態がある。福島第一原発事故のケースは電力会社という大手資本に対する配慮であり、アベノミクスのケースは政権権力による直接的な情報支配であるが、どちらも資本や権力によって情報コントロールが行われ、フェアな情報が有権者に届かない構図である。

国によってメディア構造や情報支配のメカニズムが多少異なるものの、現代のほとんどの国において、フェアな情報に基づいて国民一人一人の利害と問題意識を反映した政治参画が成立しなくなっているのだ。先に述べた政党の買収による政策のコントロールと相まって、国民の意思に基づいた政策という民主主義の核心機能が働かない状態になってしまっているのだ。

4 可塑性の喪失……修復が効かない

このように国民の意思を反映した政策決定機能が損なわれることの最大の問題は、資本の暴走を止められないことである。全米に「チェンジ」のムーヴメントを起こして当選したオバマ大統領の最大の公約は「オバマ・ケア」と呼ばれる国民皆保険制度であった。多くの国民はあまりの医療費の高さに病院に行けないでいる不安と不満を理由に、オバマ・ケアを公約にした民主党に投票したのだ。それにもかかわらず、医療・保険・製薬業界から莫大な政治献金を得ていた多数の共和党議員の反対によって、オバマ・ケアを実現するための数々の法案は骨抜きにされてしまった。先述した環境保全のための施策がＡＰＩから政治献金を受けている議員によって潰されたのと同様である。

日本でも、２００９年に民主党は「八ッ場（やんば）ダム建設中止」を筆頭の公約にして政権をとったが、多くの利害関係者の抵抗によって建設を止めることができなかった。２０１２年の総選挙で自民党は「ＴＰＰ断固反対」を公約に掲げて政権に就いたが、政権獲得後一週間後には「ＴＰＰ推進」に政策を逆転させた。このように、選挙を通して表明した国民の意思はあまりにも軽く無視されるようになっているのが実態なのである。

そして、資本による政治の買収によって民主主義が機能不全に陥ってしまうと、そうした資本の暴走を止められなくなってしまうのだ。アメリカにおいて２０１４年に政治献金の金額の上限が撤廃されたのも民主主義的手続きに則って合法的になされたものであるし、その結果資本による政治への投資と買収は合法的に承認されたことになる。日本でもこの20年間継続的に消費税の税率を上げて庶民の負担を重くし、その一方で大企業の法人税や富裕層の所得税をどんどん減税したのも、民主主義のルールと手続きを踏んで正当に行われたのである。その結果、貧富の格差はますます拡大し、国民の所得が増えないために需要が停滞して、20年間日本経済は全く成長していない。そんな現実をほとんどの国民は望んでいないにもかかわらず、選挙を通じて国民によって選ばれた政権政党が合法的にそうした政策を推進し続けているのである。

アメリカにおいても、日本においても、この傾向は矯正されるどころか、ますます加速している。その他の多くの資本主義国においても、同様の状況である。民主主義的政策決定機能が実質的に損なわれた状態では、この傾向に国民がＮｏの意思を持ったとしても、資本の暴走と支配の構造を修復することができない。つまり政策と政治システムの可塑性が喪失してしまったのだ。

可塑性を失った社会も国家も滅亡に至るのが時間の問題であることは、歴史が教えてくれている。ソ連が崩壊した最大の要因は市場メカニズムを否定したことにあるとされるが、その核心は市場情報を政策決定プロセスに反映させる機能を持たなかったことにある。つまり、正しい事、有効な事を行うためには正しい情報のフィードバックが必要不可欠だということである。頑なに市場メカニズムを通じた市場情報のフィードバックを受け入れなかったソ連とは対照的に、社会主義政治体制に市場メカニズムのメリットを取り込み市場情報のフィードバックによって政策を決定する仕組みを作り上げた中国は今やアメリカに次ぐ世界のリーダーである。

政治体制だけではない。ITシステムも企業の戦略も、環境条件の変化や目標の変更に応じてプログラムを修正したり、戦略施策を調整したりすることが不可欠である。こうした情報のフィードバックによって施策や手段を修正・変更することができる〝可塑性〟こそがそのシステムや企業を生きながらえさせるキーファクターである。

大多数の国民に豊かな生活を提供できなくなった資本主義は、格差と貧困を拡大しながら暴走を続けている。民主主義国家において、本来であれば、そうした状況に対してもう一度資本主義が国民の豊かさに貢献できるように修正しなければならない。しかし、資本は巧妙に政治を買収し、資本の収益拡大と自らの増殖に有利なように政治を支配し、メディアを買収することによって情報をコントロールして、民主主義の健全な政策決定機能を機能不全にしてしまったのだ。しかも、そうした事態を修復するメカニズムも無効化する形で。

21世紀前半に生きる私達は、I章と本章で示したように閉塞(へいそく)した状況に置かれている。経済はもはや私達を豊かにすることができず、政治はそうした事態を修正する機能を失っている。資本主義が暴走し、民主主義が機能不全に陥ってしまったこの状況は、一見解無しのように見える。

　しかしこの閉塞状況を突破する端緒を与えてくれるものがつい最近登場した。ＡＩという技術である。これまで人類は技術によって様々な閉塞状況を打破したり、より豊かでより自由な新しいステージに上ったりしながら歴史を進めて来た。ＡＩという技術が私達を現在の閉塞状況から救い出し、新しいステージへと導いてくれる可能性と、そのための条件について次章で提示する。

第Ⅲ章

AIによる歴史

トーマス・セドラチェク

「経済学は、二本の足で立つべきである——つまり、肉体と魂の両方を持つべきである。学問分野としての経済学が、もともとは道徳哲学に属していたことは偶然ではない。」

村井章子翻訳『善と悪の経済学』より

資本主義の暴走によって経済格差が拡大し、民主主義も機能不全に陥っている現在、人々は豊かに、そして自由になるための道を見出せずにいる。しかしつい最近、この閉塞状況を打開してくれるかもしれないテクノロジーの希望の光が射して来た。ＡＩ（Artificial Intelligence：人工知能）技術の発達である。

革新的なテクノロジーは単に新しい財やサービスを生み出すだけではなく、経済活動における生産様式を変え、私たちのライフスタイルや社会構造を変え、価値観や文化にまで影響を及ぼす。人類の歴史を振り返ってみると、農耕の発達によって人類は狩猟採集生活から定住生活へと転換し、文字の発明は知識の集積と情報の伝達性の向上をもたらして学問や科学の発展に繋がった。また、産業革命は人々の就労形態や社会構造を変化させたし、インターネットは人々の社会的繋がりを拡大しかつ多様化させた。こうした生活や社会の転換に伴って、私たちの暮らしは驚くほど便利に、豊かに、そして自由になった。特に産業革命以降２００年間の経済発展は目覚ましく、経済水準の向上と人口の爆発的増加は人類の歴史の中でも突出している。先進国では一人当たりＧＤＰが３万ドルを超え、有史以来産業革命前まで最低生活費水準（人間がやっと生きていくことができるレベルの生活水準）に留まっていたレベルと比べると実質所得換算で約50倍の水準である。

現在、ＡＩはすでに実用化フェーズに突入しつつある。製造工場では生産ラインの完全自動化が実現しつつあるし、株式のトレーダーや会計士といった高度な知的職業もＡＩに置き換えられ始めている。今後、更なる技術発展と実用化の進展によって全く新しい段階の生産／労働様式の変革が起き、それに伴ってライフスタイルや社会構造も変化して、世の中の様相は大きく変わっていくであろう。ＡＩ技術は生産の場、生活の場を問わず活用可能な汎用性の高い技術であるため、農耕や文字や産業革命に比肩し得る革新性を持ち、産業革命に匹敵する社会のパラダイムシフトを引き起こすと予測されている。

本章ではまず、新しい技術の発達が社会や経済に影響をもたらすメカニズムと社会的インパクトについて、歴史を参照しながら解説する。その上で近年登場して来たＡＩという新技術の凄さと社会に及ぼすインパクトを紹介した上で、ＡＩが人類を新しい歴史のステージに導いてくれる可能性とそのための条件について解説する。

1　技術革新とパラダイムシフト

近年、次々と新しいテクノロジーが開発されてきており、実用化の動きも目覚ましい。AI技術、iPS細胞、遺伝子工学等々、どれもこれまでは人類の手が届かなかった領域を切り拓いていく革新的技術である。現代社会の閉塞状況を打開し、良き未来を作り上げていくためには、このような革新的技術がもたらしてくれる社会変革や経済的インパクトについて理解しておく必要がある。

過去、新技術の登場によって私たちの生活や社会に変化がもたらされた事例は枚挙に暇がないが、農耕の発達、文字の発明、産業革命は、人類史の中でも世の中を大きく変えた三大技術革新として見なして良いだろう。テクノロジーが世の中の社会構造や経済活動、人々の生活スタイルや文化までを決定するメカニズムと必然性を理解するために、まずはこれらの技術革新がもたらした社会の変化とインパクトについて紹介しよう。

①　農耕の発達

農耕は今から1万年ほど前に、メソポタミア文明発祥の地である西南アジアの「肥沃な三日月地帯」と呼ばれるエリアを中心に発達した。

農耕の発達がもたらした人類への最大の貢献は、食糧供給量の増大による人口増加である。狩猟採集時代の地球の全人口は1000万人弱と推定されているが、農耕が発達したことによって食糧の生産量が向上し、世界人口は計5000万人にまで増大した。

そしてひとたび農耕が発達し、安定的な食糧調達が可能になると、人々の生活様式は野生の動物や自然の穀物・果実を追って移動を続ける狩猟採集生活から、長期間同じ場所に住み着く定住生活へとシフトした。農耕によって人々は集団で生活するようになり、農作業を協力し合って行うなど共同体生活を営むようになって、社会が生まれた。

さらに効率的な食糧生産が可能になって集落が大規模化し人口密度が高まると、社会の形態は次第に共同体社会（集落）から階級社会（都市国家）へと高度化していった。食糧生産の収量が増大して余剰生産物が生まれると、全ての人々が農耕に直接携わる必要がなくなり、収穫物の分配を担う行政官、戦争での戦いを担う兵士、宗教行事を司る神官などが登場し、集団／社会の生産性を高めるための分業と協業及び、権力構造を伴う階級社会が誕生した。また、社会のみならず家庭内でも、女性が育児と農業全般に携わり男性は兵役などの社会的役務や土地の開墾を担うといった分業と協働の仕組みが自然発生的にでき上がっていった。

このように農耕は、人々の生活様式や労働様式を変え、〝社会〟を生み出したのである。

② 文字の発明

その後、時代を下って紀元前3400年になると、古代メソポタミアやエジプトを中心に、文字が登場した。

言葉は5万年以上前から情報伝達・意思疎通の手段として使われていたが、口頭で扱える情報量や正確性には限界があった。しかし農耕の発達に伴って都市国家が形成されると、取引や徴税にまつわる事柄を記録しておく必要性が生じ、まずはそのための数字や記号が、続いて汎用的な記録に利用できる文字が発明されていった。その後、取引や貸し借りの記録のみならず、それまで口伝で語り継がれていた神話や歴史的事実の記録も行われるようになり、多くの情報が後世に残されるようになった。

ちなみに、文字情報の世の中への拡散の度合いは記録媒体や複製の技術に左右される。

当初記録媒体として使われていた粘土板は運搬に不便で、また木簡・竹簡は傷みやすく、紀元前2世紀頃からこれらに代わって、便利で保存性の高い紙が使われ始めた。15世紀に入って活版印刷術が発明されると、文書や書籍の複製が容易になって本が大衆化され、情報拡散の速度も範囲も一気に加速していった。1517年にマルティン・ルターが著した「95か条の論題」は刊行後わずか4年で30万部以上のベストセラーとなり、これを端緒としてヨーロッパ全土で宗教革命が起こり、その後17世紀以降の科学革命や啓蒙思想が登場して近代の幕開けに繋がっていった。

このように文字とその記録媒体は、情報の伝達／蓄積によって、人類を知性の生き物として発展させる原動力となった。人間は「ホモ・サピエンス＝賢い人」と呼ばれるが、人間を人間たらしめている賢さのベースは言葉と文字に依るものである。科学も数学も哲学も文学も文字があったからこそ発達し、人類を豊かに自由にして来たのである。

③ 産業革命

そして文字の発明から約5000年後、18世紀後半から19世紀にかけて生じた産業革命が、現代に繋がる爆発的な人口増加と経済発展の端緒となった。

西洋諸国は15世紀頃から発達した航海術によって新たな国や地域を次々と発見し活発な

貿易を行っていたが、貿易を担っていた商人は次第に商品の生産にも手を広げるようになった。17世紀～18世紀の頃には生産工程への資本投下によって家内制手工業からマニュファクチュア（工場制手工業）へと生産様式を発展させた。

そして1769年にジェームズ・ワットによって蒸気機関が発明され、まず当時の主力産業であった織物産業の自動織機に活用された。蒸気機関によって屈強な男性が担っていた以上の力仕事が容易に行えるようになり、それまで人力ではできなかった大規模な加工や大量生産が可能になり、生産性が飛躍的に向上した。そして、このような生産性向上の流れは、蒸気機関に続いて登場した内燃機関や電力の活用によってますます加速化、汎用化していった。

産業革命当時、蒸気機関や内燃機関などの動力源を備えた機械は高価であったため、事実上は資本家（商人）によって独占された。高性能の機械が備え付けられた大規模工場を持つ資本家との競争に敗れた手工業は、資本家が経営する大規模工場で働く賃金労働者に転じることを余儀なくされた。そして多くの労働者が都市の大規模工場で働くようになり、工業都市が誕生した。またそれに伴って家族形態や人々の生活様式も大きく変わっていった。このように産業革命は生産様式だけでなく、社会構造や生活様式まで社会のあり方全般を大きく変えたのである。

動力と機械がもたらした産業革命は、生産性を飛躍的に向上させて、世の中と人々の生活を大いに豊かにした。産業革命前夜の１７５０年から現在までの約２５０年間に、世界人口は7億人から77億人と約11倍に、人類の平均寿命は36歳から72歳と約2倍に、一人当たり実質ＧＤＰは６００〜６５０ドルから７５００〜８０００ドルと約13倍に伸びた（先進国では約3〜3・5万ドルと約50倍）。

このように産業革命は人口増加と寿命の伸長、就労形態や経済成長の大きな変化をもたらしたのだが、更にこれらに加えて資本主義と民主主義という現代社会を運営する二つの方法論が生み出される契機にもなった。大規模な機械や工場を建てるためには広く資本を集めることが必要となって資本主義が成立し、一般市民の中にも富を蓄えた有力層が出現して来たために参政権の対象が貴族以外にも広がって民主主義が成立した。産業革命は、経済、社会構造、制度や価値観等々のあらゆる側面に変革をもたらした、人類史上最大のインパクトを持つ出来事であったと言えよう。

2 AIがもたらすインパクト

ここまで人類が過去に経験して来た大きな技術革新と、それに伴って生じた社会変革の歴史を振り返ってきたが、農耕、文字、産業革命という三つの技術革新に比肩し得る新しい技術が今まさに台頭しつつある。人間の思考や推論、判断といった脳の活動を再現するＡＩ（Artificial Intelligence：人工知能）である。

産業革命をもたらした蒸気機関や内燃機関が人間の〝体力〟を代替するものであったのに対して、ＡＩは人間の〝知力〟を代替する。ＡＩが登場するまでのＩＴは単純な計算やアルゴリズムに沿った定量的な情報処理を担っていたのに対して、ＡＩは単純な情報処理だけではなく、自律的に学習して推論や判断といった非定型的な情報加工をも担えるのが特徴である。こうした人間の知力を代替しうるＡＩ技術の発達と実用化は大々的な社会変革をもたらすものと予想されている。

① ＡＩの凄さの意味

従来は、機械やプログラム等の力を借りて生産活動を行う場合、それらの機械やプログラムが自律的に判断するということは無かった。体力を代替する電力機械や内燃機関であっても、知力を代替する情報処理装置（IT機器）であっても、その技術を活用する〝目的〟に加えて、その機器を使う対象となる〝材料／情報〟と〝プロセス〟を、人間があらかじめ設定・設計しておく必要があった。例えば、「陸上で長距離輸送を行う」仕事をするためには人間が輸送車両（例えば大型トラックなのか貨物列車なのか）を選定・調達し、走行経路を決定・計画することが必要であり、「企業の成長予測を行う」ためには財務資料や競合他社の動向といった多数あるデータのうち、どのデータを活用するのかを決めて、実際にデータを収集し、そのデータをどのような計算式に当てはめるのかについて事前に人間が設計する必要があるということである。

機械やITを使う上で、目的と材料とプロセス設計という3点セットを準備することは〝人間の仕事〟であり、人間が様々なお膳立てをした上で機械やプログラムの機能を活用するというのが人間と機械の間の基本的な役割分担となっていた。そして、この「お膳立てを要する」という点が仕事の完全自動化を実現する上でのボトルネックとなっていたのである。

人間の推論・判断プロセスは、実は私たち自身が考えているよりもはるかに複雑であり、無意識下で膨大な情報処理を行っている。従って人間が脳で行っている推論や判断プロセスの完全なフロー図を描くことは不可能に近い。有名な事例では、１９７０年代に医者の病理診断プロセスを模倣しようとして開発されたＭＹＣＩＮ（マイシン）というＡＩシステムが、例外処理や言葉の解釈を適切に行えないために的確な判断を下せず、実用に耐えるレベルには到達できなかった。ＭＹＣＩＮはスタンフォード大学が5年以上もの歳月をかけて開発に取り組んだシステムであったにもかかわらず、感染した細菌の種類と適切な処方箋の提案というごく限られた目的においてすら、人間と同等の成果を出すことはできなかったのである。

この事例に代表されるように、20年程前まではＡＩは実用性に乏しく、人間の知力を代替できる兆しは見えていなかった。しかし21世紀に入ってからディープラーニング（深層学習）と呼ばれる新たな技術が登場し、長年乗り越えることのできなかった障壁が打ち破られつつある。ディープラーニングを用いることで、推論・判断プロセスを人間が設計することなく、ＡＩ自らが自律的に学習・習得できるようになったのだ。これまで人間が担っていた目的設定と材料提供とプロセス設計という3つの役割のうち、プロセス設計の役割をＡＩ自身に担わせることが可能になったのである。

グーグルの猫とアルファ碁

ディープラーニングという技術が一般社会から注目を集め始めたきっかけは、２０１２年に発表された「グーグルの猫」である。グーグルの猫とは、グーグル社がディープラーニングの技術を活用してＡＩに猫画像を学習させ、ある画像が猫であるか否かを判別できるようになったという成果を指す。学習教材としてＡＩに与えられたのは大量の猫画像のみで、人間がその判別方法を設定することなく、ＡＩ自らがトライ・アンド・エラーを行うことで学習したのである。

人間のように試行錯誤しながら学習することがＡＩにもできるようになったことで、ＭＹＣＩＮの時のように判断基準の要件を一つ一つ設計・設定する必要がなくなっただけでなく、推論・判断の精度も劇的に改善された。人間によるお膳立てを一部不要とするという技術的飛躍によって、ディープラーニングは一躍〝時の技術〟となった。ちなみにグーグルの猫は視覚情報処理に特化したＡＩであったことから、ディープラーニングの登場によって「ＡＩは目を手に入れた」と評価された。

そしてこの後ＡＩを活用した技術開発が次々に成果を出していったのだが、生物が目を手に入れたことで爆発的に繁殖した5万年前の「カンブリア爆発」という現象になぞらえて、この新技術開発ラッシュは「ＡＩのカンブリア爆発」と呼ばれている。「グーグルの猫」からわずか3年後の２０１５年には、ＩＬＳＶＲＣと呼ばれるＡＩの画像認識コンテストにおいて、ディープラーニング技術を駆使したチームが人間の画像認識能力を上回る成果を挙げたことも注目された。この時をもって、ＡＩが人間を代替できるレベルにまで達したと評価・称賛されるようになったのである。

視覚情報処理以外にも目覚ましい成果が次々に登場して来ている。例えば、２０１６年にグーグル傘下のディープマインド社が開発した「アルファ碁」が当時の世界チャンピオンであったイ・セドル氏を4勝1敗で下し、一年後には最年少チャンピオンのカ・ケツ氏を3勝0敗で下したことも話題となった。碁は最も高度な知的ゲームと言われており、コンピュータが人間に勝てない唯一のゲームだと言われていたのだが、アルファ碁の登場をもってついに最後の牙城も崩されたのである。アルファ碁に使われていた技術はディープラーニングを応用した「ＤＱＮ（Deep Q-Network）」と呼ばれる深層強化学習で、この技術はインベーダーゲームやブロック崩しゲームでも人間を大幅に上回る成果を出している。

こうしたＡＩ技術の進展に呼応して、製造業や流通業をはじめとする様々な産業分野でＡＩの活用が始まっている。ＡＩの実用化には、技術的な面に加えて倫理的な問題や環境の制約など様々な要件が複雑に絡んでくるため、その活用範囲は現時点ではまだ限定的である。しかし昨今のＡＩ技術への投資や開発、実証実験等の隆盛を見ても、今後、過去にないスピードで発達・発展していくことは疑いようがないだろう。

② 産業革命に匹敵するインパクト

ＡＩ技術がこの先、産業界と経済活動にもたらすであろう生産性の向上はかつての産業革命以上になると予測されている。また圧倒的な生産性の向上が実現すれば、経済活動だけでなく産業構造も人々の働き方や日常生活も変わっていく。ＡＩ技術はこの先社会もライフスタイルも世の中全般を大きく変えていく。

無限大の生産性の向上

産業革命では、蒸気機関や内燃機関の登場によって生産活動における物理的動力の制約が取り払われ、生産性の飛躍的向上がもたらされた。人間一人の力はせいぜい1馬力であるのに対して蒸気機関車の力は約1400馬力である。これは、産業革命前であれば1400人もの人手を必要としていた仕事が、産業革命後は蒸気機関車1台と運転者1人で担えるようになったわけであり、1400倍の生産性向上ということになる。

このような大幅な生産性の向上が、蒸気機関や内燃機関の活用によって産業界全般の労働集約型の仕事に対してもたらされたのである。例えば、18世紀～19世紀のイギリス国内の主力産業であった綿織物工業では、紡績機の動力に蒸気機関が取り入れられたことによって、生産性は数百倍に向上したと試算されている。

同様に、AIの知的業務の処理能力は圧倒的で、人間のIQの平均が百であることと比較して、AIのIQは数千にもなると言われている。また、人間は1日のうち3割程度の時間を休息やエネルギー補充に費やすが、AIは実稼働時間の制約もない。さらにAIは学習内容を他のAIに瞬時に転移させることも容易であり、こうした様々な要因をかけ合わせれば、実用の場面では無限大とも言える生産性の差が生じることになる。このようなことから、人間の頭脳集約型の業務にAIが活用されるようになると、それらの業務遂行にかかるコストは大幅に圧縮され、生産性の飛躍的な向上がもたらされることになる。

AI革命に伴う経済的インパクトの大きさについては、様々な機関による試算が公表されている。例えば世界的コンサルティング会社のＰｗＣ社は２０３０年までに世界ＧＤＰが15・7兆ドル伸長すると予測しており、これはＯＥＣＤが推定した２０３０年の世界ＧＤＰ１３８・２兆ドルを11・４％押し上げる効果を示している。

日本に目を向けてみると、総務省は「ＡＩによって２０１６年から２０３０年の間に日本のＧＤＰが１３２兆円押し上げられる」と発表しており、一人当たりＧＤＰに換算すると年率３・１％の成長である。これは人類を一気に豊かにした産業革命によって実現された年率１・３％成長と比べても約２・４倍もの驚異的な成長スピードであり、こうした予測を見てもＡＩ革命のインパクトがいかに大きいかが窺えるであろう。

豊かさの意味が変わる

そしてＡＩ革命のインパクトはこのようなＧＤＰの拡大や経済成長の加速化といった経済の側面だけでなく、人々の働き方やライフスタイルにも重大なインパクトをもたらす。ＡＩがもたらす生産性の飛躍的向上は生産活動における労働力の削減という形で表れることになる。そしてその結果、人々は労働にとられる時間が減って自由に過ごせる時間が増えることになる。

1人当たりGDPが2万ドルを超えた段階からは経済水準の高さが人々の豊かさと直結しないと言われてきたように、先進各国においてはGDPという指標と現実的な国民の豊かさとがリンクしていない。人々が生活を営む上での豊かさとは、消費したり所有したりすることができる財貨の多寡に加えて、その人がやりたいことを自由にやれるのかという自由度の大きさによって決まる。いかに多額のお金を稼いで多くのモノを所有していても、自由に旅行したり、家族や友人と交流する時間が持てなければ豊かだとは実感できない。

ケインズの時代と比べて人々が消費／所有する財貨はGDPの伸びに表されているように大幅に向上したが、その一方で労働時間はあまり減っておらず、自由度は拡大してこなかった。AI革命が我々にもたらしてくれる最大のインパクトは、これまであまり改善されて来なかった自由時間の拡大、生活の自由度の向上にあると考えられよう。

新しいテクノロジーによって生産性が向上し、人々のニーズが満たされて経済成長がもたらされると、人々はより豊かな生活を求めて新たな財貨やサービスを欲し、そのニーズに対応して産業構造がシフトしていく。

産業革命以前の世の中では最低限の衣食住こそが一般市民にとっての切実な欲求であり、生きていくだけで精一杯という最低生活費水準が有史以来ずっと続いて来た。しかし産業革命後には人類史上初めて生きていくための最低生活費水準を脱した生活を営めるようになった。人々は肌を覆うだけではなく装飾をほどこした衣服を身に着け、生きるためのカロリーだけではなく美味しさを楽しむための食事をとり、雨露を凌ぐだけではなくより快適な住居に住むようになった。またこうした物質的豊かさが人々に行きわたったことで、心理的満足や社会的満足に繋がるようなより高次の欲求やニーズが顕在化し、それに呼応して旅行や音楽や演劇といった多様なサービスが登場してきた。産業革命以降の人々の生活の豊かさは、このようにして向上して来たのである。

こうした技術革新と経済発展は、産業構造の転換とともに就業構造の転換を生じさせる。産業革命における動力源と機械の導入は、力仕事の代替をもたらした。一方、AIの有用性は自律的な学習と推論・判断の能力にあることから、今後は、情報分析や事務処理をはじめとする幅広い知的業務がAIによって代替されていく。つまりAIの〝目〟や推論・判断能力を活かして製造業の無人化が進められていくのと同時に、ホワイトカラー職の知的業務の効率化がもたらされるであろう。産業革命において、蒸気機関や内燃機関や電力がもたらしてくれる超人的な動力によって生産性が劇的に向上したのと同様に、AIは超人的な知力をもって生産性を飛躍させるのである。そしてこうした生産性の飛躍的向上が、生産関係、産業構造、労働形態と経済活動全体を大きく構造転換させるだけでなく、産業革命がライフスタイルや都市形態まで変えたように、ＡＩ革命も世の中の全てを大きく変えていくことになると予想されるのだ。

3 仕事の代替と失業問題

このような技術革新による経済成長と産業の高度化という明るい側面の裏側である人々の失業問題という影の側面に留意しておかなければならない。人間よりも高い生産性を誇るＡＩが産業の担い手として活用されるということは、これまで業務に携わっていた人間が職を追われるということと表裏一体である。では、ＡＩは具体的にどのように活用され、そして人々の就労環境はどのように変化し、人間の失業問題に対してどう対処すればいいのか。本節ではＡＩ革命によって生じるこれらの問題を見ていく。

① ＡＩの活用と仕事の代替

どのような産業分野で、どれくらいの労働者の仕事がＡＩによって代替されるのか、まずはすでに実現している具体例から見ていこう。

製造業もサービス業も

そもそもAIの産業部門における実用化の端緒は製造業のオートメーション化（Industry 4.0）から始まり、AIやIoTの活用はすでに様々な形で進行している。例えば、アイリスオーヤマ社のつくば工場ではLED照明の製造ラインで自動化が進められ、異常時対応を行うライン管理者3人のみで週最大7000台もの生産を実現している。アメリカ国内では製造業従事者が21世紀に入ってから500万人も減少したということも報告されている。この先数十年の間に更なる機械化・自動化が推し進められることによって、僅（わず）かな管理者を除いた多くの労働者が不要となり、生産ラインを中心とした製造業従事者の数が大幅に減少していくことは間違いないであろう。

加えて第三次産業の労働集約型の知的サービス業の機械化・自動化の勢いも、これからますます加速化していくと予想される。

既にAI化が進行しつつある分野としては、これまで高度な判断力を持つ人間を採用し、それによって高い収益性を確保してきた金融業の投資業務が挙げられる。投資銀行の代表格である米国ゴールドマン・サックス社ではAI化によって大幅な人員削減を実現し、2000年時点に600人ものトレーダーが行っていた株式・債権のトレーディング業務を、2017年にはたった2人が担当している（99・7%の人員削減！）。ちなみにこの時のコスト削減効果は約300億円にも上ると試算され、AI化が組織的にも収益的にも大きなインパクトをもたらした象徴的な事例だと言えよう。

また日本においても、近い将来にメガバンク各行がRPA（Robotic Process Automation：事務処理業務のAI化）の導入を行い、みずほFGで1万9000人、三菱UFJFGで9500人、三井住友FGで4000人と、大幅な人員削減が計画されているし、ある会計ファームでもRPAの活用で約半数の専門職スタッフの仕事が無くなることが試算されている。これまで優秀人材の就職先として高い人気を誇ってきた金融業をはじめとする専門職分野における業務のAI化は高い報酬水準の人材の削減につながるため、企業にとって大きな収益効果を生む。そのためこうした分野でのAI化はこれからますます加速して行き、産業界全体の就労構造にも影響を与えることになろう。

49%の職種、労働人口の14%

最終的にどの程度の人々の仕事がＡＩによって代替されるかという点については、オックスフォード大学のマイケル・オズボーン氏＆カール・フレイ氏と野村総合研究所との共同調査研究が参考になる。この調査研究では「２０２５年〜２０３５年には日本の労働人口の約49％が就いている仕事がＡＩやロボットで代替可能になる」と報告されている。

このオズボーン＆フレイの報告書に対して、ＯＥＣＤが「ＡＩが代替するのは職業そのものではなく個々のスキルであり、職業そのものが代替されて失職するのはわずか９％に過ぎない」と反論しているように、ＡＩやロボットでタスク処理の代替が可能になるということと、実際に職を失うということは同じではない。しかし、職を失わないで済む人々の仕事も一部ＡＩに代替されて職務内容を変更せざるを得なくなるはずであり、就労形態や賃金への影響は免れないであろう。そして産業界全体で見れば、各企業の合理化圧力によって実際に職を失う人々が少なからず出て来るのは不可避であろう。

マッキンゼー＆カンパニー社の調査結果では２０３０年までに世界全体の３・８億人（全労働人口の14％）が新たな職を得るために新しいスキルを習得する必要があるだろうと報告されている。先進国においては失業率が１％〜２％上昇するだけでも大変な事態であるのに、労働人口の14％もの人が職を失うということは国民経済を根本から揺さぶりかねない大事件である（コロナ禍による日本の失業率アップは0・3％程度とみられている）。また、この調査では、自動化される作業の割合を国ごとに推計して提示している。自動化によって労働量が減少する割合が最も高いのは日本の26％であり、アメリカ、ドイツ、イタリアをはじめとする先進国も20％以上削減されるという。一方で、インド、フィリピン、インドネシアなどの発展途上国では代替可能性が10％前後であり、経済の先進国や成熟国ほどAI化の影響を大きく受けるという傾向にある。

日本国内では、経済産業省がAIによる労働力の代替可能性を試算しており、2030年までに全就労人口の約11％に当たる735万人分の労働力が不要になると示している。内訳は、第二次産業の製造・調達分野に携わる262万人、第三次産業の経営・商品企画の分野に携わる136万人、及び管理部門の145万人等となっており、これはマッキンゼー社の調査結果とも近い内容となっている。

いずれも予測値ではあるが、OECD、マッキンゼー社、経済産業省はそれぞれ近い値を示しており、これらの調査から10年ほどの間に就労人口の約10％〜20％が職を失うことが予想され、AIが雇用や就業構造に与えるインパクトは極めて大きいものとなるであろう。

② 摩擦的失業と構造的失業

人間よりも生産性の高いＡＩ／機械を活用するのは経済合理的な判断である。またそれによって人間が職を失うのも経済合理性の観点からは必然の帰結である。

産業革命がもたらした摩擦的失業

イギリス産業革命の時も、工業の機械化・自動化が進められていくに従って求められる人手の数は減少し、腕力も熟練の技巧も必要とされなくなった。その結果、従来であれば1台の機械に対して1人配置されていた熟練の職人の代わりに数人の糸繋ぎ児童が10台近くの機械を担当するようになった。このように機械化による圧倒的な生産性向上の背景には、生産量の増大と生産コストの削減という二つの現象が重なり合って作用していたのである。

こうした経緯で職を失った人々は、それまでに習得したスキルや知見を活かす場が失われ、新たな職に就くための一定の準備期間＝失業期間が生じることになる。

この一時的な失業は「摩擦的失業」と呼ばれ、かつては深刻な社会問題としては取り上

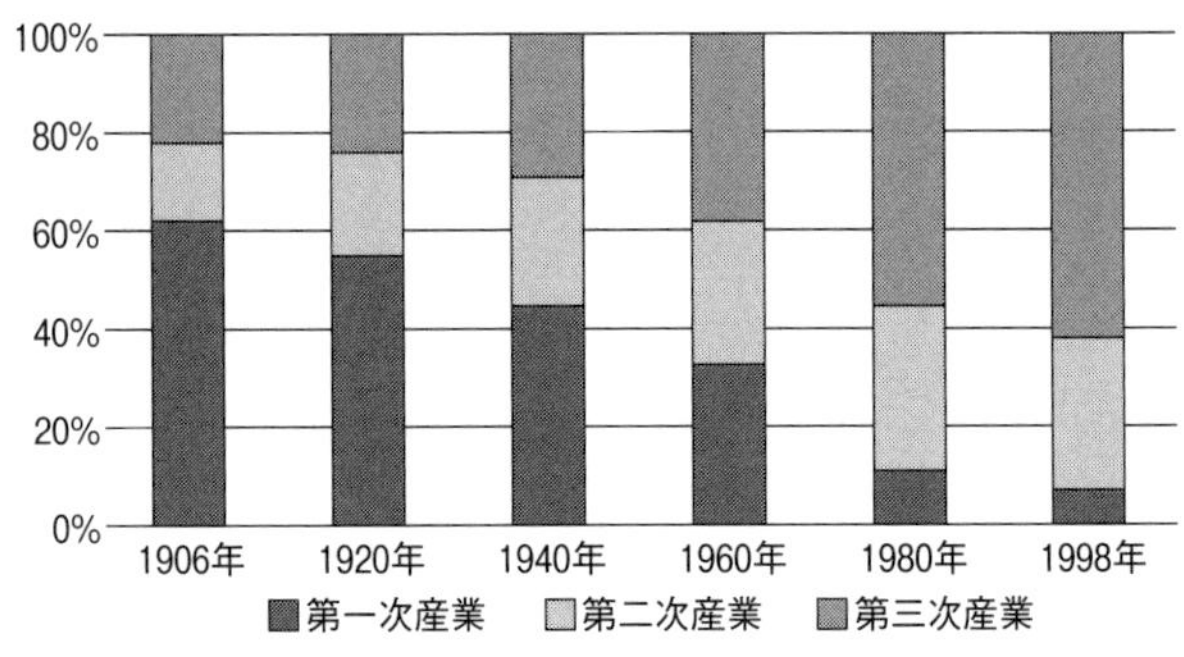

就業構造の変化（人員数ベース：1906-1998年）。出典：国勢調査を基に筆者作成

げられなかった。なぜならば、産業構造が高度化し経済成長が進行していく中では、一旦失職しても新しく生まれた産業で新しい職を見つけることができたからである。自宅で繭糸（まゆいと）をひいて布を織っていた機織り職人が工場労働者や機械生産者となり、馬車をひいていた御者が自動車の運転手や製造・開発者となるように、人々は摩擦的失業を経て、従来の労働集約型／低付加価値の労働から、技能職もしくは開発職といった高付加価値の職種へとシフトしてきたのである。

産業革命以降、動力と機械の導入によって産業全体としての生産性が高められて経済成長が実現するとともに、産業構造の転換と就業構造のシフトが起きた。具体的な数字で見ると、わが国では１９０１年に官営八幡製鉄所が誕生した頃から本格的な産業革命が始まったが、当時（1906年）は62％もの人が第一次産業に就いていたのに対し、約90年後の1998年には7％と約9分の1にまで減少しており、第一次産業から第二次・第三次産業へと労働人口がシフトして来たことが窺える（右頁の図）。

AI革命がもたらす構造的失業

AI技術は利用可能な分野が製造ラインでも金融サービスでも自動車の運転でもと極めて多岐にわたるため、かつて産業革命を引き起こした蒸気機関や内燃機関と同等かそれ以上の広範かつ重大な影響を産業界や経済界に及ぼすことになる。そして前例に倣えば、「AIに職を追われる人々」は摩擦的失業の期間を経て新たな職に転じていくはずなのだが、実はAI革命においてはこの点については事情が違うのである。AI革命で発生するのは「摩擦的失業」ではなく、行く先のない「構造的失業」となる可能性が高いのだ。

過去の産業革命で機械に代替されていったのは農業労働や工業労働などの体力仕事であったが、そこで生じた失業者は、機械では代替できない知的スキルを習得することで工場監督者や機械操作者といった新たな職に就くことができた。加えて、これらの職は相対的に高付加価値／高賃金の仕事であり、摩擦的失業を経ての新しい職種への転職は、人々の賃金と生活水準を引き上げる効果を持っていた。

しかし産業構造の転換に伴って生じる〝新しい職〟が存在しなければ、こうしたポジティブな就労シフトは成立しない。失業者を吸収する新たな職種や高付加価値の仕事が存在しなければ、彼らには行き場が無い。AI革命は、人間の学習・推論・判断という高付加価値型の知的業務を代替してしまうため、AIを導入した後に残るのはわざわざAIを導入するほどの必要性のない低付加価値／低賃金の単純な仕事になってしまうのだ。

現実問題として、十分に豊かになった現代社会においては、より高次の、全く新しい需要は創造されにくい。先進各国ではすでに経済成長が成熟・停滞し始めており、ここ20年の経済水準の伸び率は、世界平均が5〜6％強であるのに対して先進国では0〜3％程度に留まっている。この成長率の鈍化が、現代の先進国経済の需要創造の限界を示している。

これからAIが代替していく知的業務は、産業革命によって力仕事を奪われた人間に与えられた、機械にはできない人間ならではの高付加価値型の業務として登場して来たものが多い。その人間ならではの知的業務がAIによって代替されてしまうと、人がやるべき新しい仕事は容易には見つけられない。「2020年末までに約30万人のAI／IT人材が不足する」と言われているように、一見〝新たな〟雇用も創出されてはいるのだが、これを就業構造の高次元化シフトと見なすのは相応しくない。なぜならば、産業革命時の「体力仕事から知的労働へ」というシフトは機械と動力を導入することによって発生する主要業務の構造的転換であったのに対し、ここで挙げられている雇用はＡＩの導入が定着化・常態化するまでの時間的ラグに発生する一時的なものでしかないからである。端的に言えば、今人手不足とされているＡＩ／ＩＴ人材の仕事のほとんどが、近未来にＡＩで代替可能となる典型的な〝知力〟の仕事なのである。

今のところはまだ、あたかも親が子に、あるいは先生が生徒に教材を与えるように、ＡＩの学習教材を人間が選別・リードする状況に留まっている。ＡＩが自律的学習能力を手に入れたとはいえ、目的設定と材料の提供はまだ人間が行っており、現実課題を完全に自律的に解決できるＡＩを実現するにはあと10年〜20年ほどの年月を要すると言われている。とはいえこの先ＡＩの性能が向上して来ると、現在ＡＩの開発やインストールを行っている仕事を含めて、人間の労働の必要性は加速度的に低下していく。ゴールドマン・サックス社でトレーダーが2名しか残らなかったのと同じように人手は大幅に削減され、最小限の開発者や管理者のみで事足りるようになるのは必然の流れである。そしてＡＩによる仕事の代替が進む中で、ＡＩがＡＩ自身をメンテナンス・改善していく能力まで習得してしまえば、産業構造の転換に伴って生じる新たな職はもはや存在しない。

人間ならではの仕事

機械が体力を代替した産業革命以降、人間に残された〝高度化された〟仕事は知的労働であった。そして機械に職を追われた人々は知的労働へとシフトすることで豊かな生活を手に入れて来た。その知的労働がこれから数十年の間にＡＩに代替されていった時、人間は新たに〝高度化された〟仕事を作り出せるのだろうか。

人間に残された、ＡＩには担うことができない仕事としては、感情労働と呼ばれる人を癒したり慰めたりするような人の感情に関わる対人サービスの仕事がある。しかしこのような仕事は人対人の営みであるという性質上、効率を高めることは難しく、「人間にとって大切なものを提供しているものの〝生産性〟は低い仕事」である。また、共感や思いやりといった情緒的なやりとりを貨幣経済の中に組み込むべきものかどうかという議論もある。共感や思いやりを金銭取引の対象にしてしまうことによって、共感や思いやりの本来の価値が棄損されてしまう懸念があるわけである。共感や思いやりまで金で買うような世界を、私たちは「豊かな世界」と呼べるのかという問題である。

これらの議論を踏まえると、ＡＩ革命後の未来は、失職して次の職を得られない、もしくは低賃金の仕事に就かざるをえない人々が大量発生してしまう可能性は十分に考えられる。ましてやただ生活を賄う（まかなう）だけでなく、自らもやりがいを感じて取り組める人間ならではの仕事に就けるかどうかは、ＡＩ革命以降の最大の問題となるだろう。

4　新たな歴史のステージ

ここまでは生産性向上や就業構造のシフトという、ＡＩが直接的に関与する経済のスコープから近未来の姿を考察してきたが、本節では社会学的な視点からＡＩ時代の社会のあり様を考えてみたい。

前節でみてきたように、過去の産業革命が作り出した失業は摩擦的失業であり、機械に仕事を奪われた人々は知的スキルを習得して新たな職に就き、生活レベルを向上させてきた。その一方で、社会全体で見てみれば、当時から資本家と労働者との間の経済格差は大きく開いていた。生産量の増大分のうち労働者への配分よりもはるかに大きな部分を資本家が自らの富として独占して蓄積し、拡大再生産を進めて行ったからである。こうした資本家による富の独占に対する反動で20世紀に入ってから複数の社会主義国が登場したが、わずか一世紀 もたずに崩壊し、資本主義がグローバル経済のメジャーな方法論となった。

今回AIによって仕事が代替され、構造的失業によって職を失う者が多数に及んだとき、多くの人々は貧困の淵に沈み、資本家やAI事業家など一部の人々だけが富を独占する社会となってしまう恐れがある。摩擦的失業の時のような新しい職への就労と対価の獲得という経路が存在せず、ごく一握りの勝ち組だけが仕事と報酬を得て、多くの人々が低賃金の労働や生活保護で暮らすような社会では、経済は沈滞し、治安が悪くなり、文化水準まで低下して、社会は衰退してしまうことになる。これではAIがもたらすディストピアの世界だ。

資本主義が本能のままに動けば動くほど経済格差が拡大し、多くの人々が困窮に追いやられて社会が崩壊していくという流れは、第Ⅰ章と第Ⅱ章で示してきた通りである。これから先のAI社会を見通した時、もはや現行の社会・経済システムの延長線上には明るい未来を描くことは難しいと言わざるを得ない。

これは単なる悲観論ではなく、AIという社会を革新し歴史を進める力を持った新たなテクノロジーが登場してきた今だからこそ、新しい社会のあり方を描き出すべきタイミングだという歴史的要請でもある。先進国において経済成長は止まり、格差と貧困が深刻化し続けている現状が示唆しているように、現在の経済構造や社会構造はもう余命いくばくもないように見える。これらを根底から見直し、豊かな社会を築き上げていく転換の契機として、何としてもＡＩ革命をポジティブに活用しなければならない。

①「疎外」の構造問題

現在、我々の社会はほぼ全ての局面において新自由主義型の経済合理性によって規定されている。国家による経済政策・産業政策はもちろん、企業における製品ラインナップの選定や従業員の雇用方針まで、更にそうした予算や財・サービスの提供を受ける私たちの日常生活も間接的に経済合理性と資本効率性によって規定されている。財であれサービスであれ、市場における経済活動に乗せられるものが価値を有するとされ、その価値は金銭化された時の大きさによって評価される。気遣いや共感、教養や品格といった市場経済の取引の中でお金を生まないものは価値を認められず、無益なものとされる。ファストフード店の「スマイル０円」は追加オーダーやリピーターの増加につながってこそ価値を認められるのであり、そうした効果を生まないのであればスマイルは奨励されないであろう。

この現状を引き起こしたものは、皮肉にも、産業革命後に「豊かな社会」を実現するために選択した資本主義と自由競争である。こうした方法論がこの先の豊かな社会の実現に対して有効性を持たないことに、我々は気づかなければならない。

経済学者ロバート・ライシュは、すでに20年以上前に著書『勝者の代償』の中で新自由主義型経済の副作用について警鐘を鳴らしている。

ライシュは、経済成長や資本合理性のために自由競争が追求される中では、相対的強者の側の人も競争から振り落とされないために苛烈な生存競争に巻き込まれざるを得ない。そして全てを金銭化して計る世界の中で合理的な選択を行うことによって、不安定な雇用と長い労働時間、所得や富の格差やプライベートの崩壊という数々の問題が必然的に引き起こされると指摘している。

20年の年月を経た現在、ライシュが指摘した問題は世界中で深刻化している。新自由主義型の経済ルールの下で人々は一部の勝者と多数の敗者とに二極化し、雇用、所得、資産、地位といったものの格差はますます拡大している。そして国民経済が活力を失いつつある中で、巨大企業と巨大資本だけが最高益を更新しつづけている。実際、わが国でも上場企業は毎年のように最高益を更新して内部留保を積み上げている一方で、国民の実質所得はこの20年間ほとんど上がっておらず、金融資産ゼロ世帯はこの10年で5割も増えていることはⅠ章で示した通りである。

インターネットが生産と消費両面での社会のインフラとなり、新自由主義のルールの下で自由な経済活動が促進される経済社会、即ちニューエコノミーの世の中は消費者にとって充実したサービスを安価に享受できる「便利な社会」である一方で、労働者の生活は不安定になりがちである。この不安定な雇用環境に加えて、一度敗者に陥ると復活が困難であることから、現在勝者の座についている者も厳しい競争から脱落しないためにますます労働に勤しまざるをえないのだ。ケインズが1930年時点で述べた「2030年までに人々の労働時間は週15時間になる」という予想とは裏腹に、2017年時点でOECD諸国の労働時間は週26～38時間であり、21世紀に入ってからは先進国ではほとんど減っていない。

この状況を端的に表すならば「人間は人間自身が作り出した資本の奴隷になっている」のであり、まさに経済学者カール・マルクスが呈した「疎外」という概念に当てはまる。労働によって得られた生産物を自らのものとすることができず、自らが携わる仕事にやりがいを感じられない上に、一人の人間としてではなく生産機械としての役割でしかないという、本来あるべき人間の働き方や生活から乖離（かいり）していく状態である。

先進国では近年、生活インフラは整備され、最低限の社会福祉機能も整えられており、人々が生きていくために必要とされる労働の総量はかつてと比べると少なくなっているはずである。それにもかかわらず、相対的強者の人を含め多くの人々が必死で働かざるを得ない状況が続いている。こうした状況をもたらしたのが、新自由主義のメカニズムである。新自由主義的な競争ルールの中での職に就くと、ライシュが指摘したように必死になって資本主義メカニズムの羽根車を回し続けなければならないのだ。理論上は十分に富が生産されていて供給過剰とも言える状況にある中で、いまだに多くの人々は「疎外された労働」に縛りつけられたまま豊かさを享受できないでいる。

② 新たな歴史のステージへ

前節でＡＩの発達・浸透は、構造的失業という問題を引き起こすリスクを持つことを示したが、実はＡＩがもたらす飛躍的な生産性の向上は失業問題だけでなく格差や疎外といった資本主義的構造問題を解消するポテンシャルを持っている。資本主義経済が持つ必然的構造問題をＡＩが解決し得る可能性について説明しよう。

経済は生産と消費が車の両輪となって回っている。そしてＡＩは生産活動には携われるが消費活動は行えない。この二つの条件から考えてみると、これからの世の中における生産と消費の役割分担の姿が見えて来る。ＡＩが圧倒的な生産性で人々が必要とする財・サービスを産出するようになったとき、ＡＩは消費はできないので、生み出された財・サービスの消費は人間が担うことになる。人間が消費しなければ、ＡＩによる高度な生産性によって生み出される財・サービスも無意味になってしまうからだ。従ってＡＩが生産活動を担うようになると、労働によって賃金を得て、その賃金によって財・サービスを購入・消費して生活するという現行の経済メカニズムは成立しない。つまりＡＩ化時代が到来すると資本家や投資家やＡＩ・ロボットの提供者といった少数の「経済的強者」だけが総取りしようとするシステムは経済的にも社会的にも早晩立ち行かなくなるということを意味している。

言い換えると、労働と消費が密接に結びついたこれまでの経済構造はＡＩの活用によって必然的に変わっていかざるを得ないということである。ＡＩはそうした経済構造と社会構造の変革の機会を与えてくれるのだ。その意味で、ＡＩがもたらしてくれる圧倒的な生産性の向上は経済機構と社会構造変革のための必要条件ということになる。

再分配が十分条件

ではＡＩ時代の経済構造や社会構造はいかようにあるべきか。答えはシンプルで、まずはＡＩが産み出した財貨を人間に配賦（はいふ）できる仕組みを構築することが必要である。

先にも述べた通り、ＡＩやロボットは高い生産効率をもって多くの財貨を産み出すものの、それらの財貨を消費して経済を循環させる機能を持たない。これまで表裏一体であった「生産活動」と「消費活動」はこの時をもって分離することになる。ＡＩやロボットが産出した財貨を消費活動に携わる人間に配賦／再分配することができてこそ、ＡＩが生み出したものを人間の豊かさに繋げることが可能となるのだ。

実は、人間社会を維持していくためにはこの再分配が極めて重要であることを、昔から人々は経験を通じて知っていた。近代の高度な経済理論が登場するよりもはるか昔からである。例えばハンムラビ法典には3年ごとに債務を免除することが規定されているし、旧約聖書にも、「資産・債務・身分は50年ごとにリセットすべし」とか、「落ち穂は拾い集めずに貧しい人々のために残しておくべし」という記述がある。経済学者トーマス・セドラチェクはこうした施策が当時の富の独占防止策であり社会を安定させるための施策であったと述べているが、まさにこれらの施策は、経済活動によって不可避的に生じる格差を是正し、経済を循環させ、社会を安定化させるための知恵であったと言えよう。経済とは格差を必然的に生み出すものであり、格差を放置しておくと社会が崩壊するのも必然であるということに、人間は古来気づいていたのである。

第Ⅱ章でも見たように、19世紀の西洋では再分配機能を担う社会保障が導入されたことによって資本主義が順調に発展した。一方で1989年のソ連崩壊後は、西側諸国で新自由主義政策が採られて再分配が軽視された結果、資本のパワーが強大化し過ぎたことによって資本が政治をコントロールするようになり、近代社会の基盤である民主主義の機能が損なわれてしまった。経済がある限り格差は必然的に発生し、その格差を放置しておけば、どのようなコミュニティーもどのような社会も必然的に崩壊してしまう。格差を適切に是正することが、社会に安定と持続性をもたらすのである。

この人間社会の公理を前提に考えると、AI時代のあるべき経済構造、社会構造を描き出す上で最も重要となるのが再分配政策であることは間違いないであろう。現在も格差問題に対する施策としてBI（Basic Income）が検討されるようになって来ているが、BIに限らず、AIが産出した富を人間に配賦／再分配できてこそ経済は回り、社会は維持される。そこでは、ＡＩの活用と再分配政策によって労働は人間にとって生きていくための必須の営みではなくなり、私たちのワークとライフは大きく転換し、新しい歴史段階に進むことになるのだ。

第Ⅳ章

文学部の逆襲

ホイジンガ

「自然は我々に遊びを、その緊張感と喜びと「おもしろさ」と一緒に与えてくれたのだ。」　里見元一郎翻訳『ホモ・ルーデンス』より

Ⅲ章で紹介したように、人類は農業を発明したことによって定住生活を始め、穀物＝富の蓄積が可能になって社会の階層化が起こった。また内燃機関の発明から始まった産業革命によって人類は莫大な生産力を獲得し、人口の急激な増加が起き、最低生活費水準の生活を脱して余暇を楽しむ余裕を得た。資本主義や民主主義も産業革命によって惹起（じゃっき）されたものである。このようにテクノロジーは私たちの生活のあり様と生活様式、及び社会の仕組みを規定する。

実は私たちの生活や社会の仕組みを規定しているものが、もう一つある。

「物語」である。

テクノロジーは人々の生活や生産活動において何ができるのかを物理的に規定するが、どのような世の中が望ましいのか、どのような生活と人生を送りたいのか、何が善で何が悪かといった世の中のあり得べき姿を描き出すのが物語である。人間を「ホモ・サピエンス」と言うが、ホモ・サピエンスとは賢（かしこ）い人という意味である。他の動物が持っていない人間ならではの賢さの象徴が道具と言葉とされる。道具を作り出す「テクノロジー」と言葉によって紡（つむ）ぎ出される「物語」が世の中の仕組みと人生のあり方を決めているのである。

本節ではまず物語が人間にとっていかに本質的なものであるかを示し、次いで物語が持つ大きな力、それは時にテクノロジー以上の力として社会を動かし、社会のあり様を強力に規定することについて説明する。

1　物語の力

①　物語による認知

人間が世の中の何たるか、人と人との関係がいかなるものか、そして自分とは何者なのかについて理解し、認識しているのは物語によってである。産まれたばかりの赤ちゃんの時は泣くとミルクを飲ませてくれたり、オムツを取り替えてくれたりというアクション&リアクションの対応関係を認知するにすぎないが、言葉を覚えるようになって来ると事象を繋ぎ合わせて、周りの出来事を一連の物語として理解するようになる。何をしたから褒められたのか、何をすると痛い思いをするのか、何をしてはいけないのか等々、自分と周りの事象を「なぜなのか」「そしてどうなるのか」という物語様式で理解・解釈していく。使える言葉が増えて来ると〝嘘＝物語（フィクション）〟そのものまで作れるようになる。

更には見たこともない、触れたこともない事象まで、それまでに得ていた事象に関する知識・経験を組み合わせて、即ち物語を作り上げて認知・理解しながら成長していく。

例えば子供は童話や絵本といった物語を通して社会のルールや価値観を身につける。イソップ寓話の「アリとキリギリス」の話を聞いて勤勉の価値を学んだり、日本昔話の「鶴の恩返し」の話で他者への優しさや返報の大切さを知る。子供が幼稚園や学校に行くようになると、そこで起きる事象、例えばだれかとケンカしたり、仲直りしたりといった出来事を自ら物語化して解釈したり、先生が物語化して諭してくれたりすることで人間関係や社会のメカニズムを学んでいく。このように人間は周りの事象を物語として認知し、「世界はどのようなものであるのか」と「自分は何者であるのか」を学習・探索しながら生きていくのだ。物語は人間にとって根源的な認知の方法論なのである。

言語の使用が人間を人間たらしめていると言われるが、実は言語を使用する生物は人間だけではない。物語こそが他の動物にはない人類だけの能力である。

猿が発する鳴き声のパターンはその群れの中で共有される意味を持つ。敵やエサの存在を教え合ったり、群れの統制を指示したりするのに多くの〝言葉〟が使われている。イルカやクジラは超音波を使って互いの名前を呼び合ったりしている。生物として進化のレベルの高い哺乳類だけでなく、ミツバチも羽音とダンスによって他のミツバチに蜜の所在や水源の場所を伝えたりしている。簡易的な言語によるコミュニケーションは多くの生物が行っているのであり、人間だけが特権的に言語を使用しているわけではない。

人間だけにしかできない言語の活用方法とは、他の生物が行っている簡易的なコミュニケーションでは扱えない虚構や抽象概念を含んで複雑に構成・創作される「物語」を扱うことなのである。

② 物語による組織化

物語は人間の個体にとって根源的であるだけではない。種族・部族・民族といった集団としての人間にとっても根源的・本質的な役割を持つ。

その最たるものが神話である。

神話は文字が発明される数千年前には登場した、人類が生み出した最も古い物語であり、人類と物語の関係性が原初的な形で表れている。従って神話の成り立ち方や神話が果たして来た役割を確認することは、人類史において物語が担っている機能を理解することに有効である。

世界中の部族がそれぞれの神話を持っているが、世界には約7000もの言語があるように神話の数も同程度存在する。20世紀後半になってレヴィ＝ストロースら文化人類学者が行った世界中の多数の神話調査によって、興味深い発見がなされた。世界中の全ての神話には驚くほど共通項があるのだ。世界中のほとんどの部族の神話は、世界の成り立ちを示した「創世の話」と自分たちがどこから来たのかを語った「部族の来歴の話」によって構成されているのである。ヨーロッパでは、神が天と地を創り、光を創り、空や海や大地を創り、魚と鳥と獣を創り、最後に人間を創ったという旧約聖書の「天地創造」とアダムとイブが蛇にそそのかされて楽園を追い出されたいきさつを書いた「失楽園」やモーゼがヘブライ人を率いてエジプトを脱出し約束の地を目指す「出エジプト記」がそれである。日本では『古事記』のイザナギ、イザナミの二神が掻き回した矛からしたたり落ちた一滴が日本を構成する八つの島になったという「国生みの話」と、天照大御神が高天原から高千穂へニニギノミコトを遣わせたという「天孫降臨の話」がそれに当たる。

このように、世界がどのように誕生したのかを表した「創世」と、自分たちは何者でありどこから来たのかを語った「来歴」が、世界中の神話に共通した主たる構成要素になっているという事実が示すのは、この二つの要素が人間集団（部族）の根源的な認知の対象であり、集団の紐帯（ちゅうたい）を形成する要因になっているということである。言い換えると、世界観と自分たちの来歴を共有することによって一つの部族としてまとまった集団の形成が可能になったと考えることができよう。

原始的な部族間の闘いが繰り広げられていた太古においては、集団として一致団結できるかどうかは部族の存亡に関わる重大事である。おそらく部族神話を持っておらず集団として一致団結できなかった部族は、他の部族によって早々に滅ぼされてしまったであろう。つまり、神話は世界がどういう成り立ちをしているのかという「世界観」と自分たちは何者であるのかという「アイデンティティー」からなる人間にとって最も根源的な二つの認知を示すものであると同時に、部族の組織化を図ることによって生存確率を高める役割を担っていたと理解することができる。そして、こうした人間の集団にとって不可欠で重要な機能、即ち世界観、アイデンティティー、及び組織化の仕組みを担う神話が「物語」として形成されていたことは、物語が人間の集団にとっていかに根源的、本質的であるのかを文字通り物語っている。

世界の起源や部族の来歴といった思弁的なストーリーを創作して仲間に伝達したり、神や宗教といった抽象的な価値に関する物語を扱えるようになったことが人間の集団を高度で強力なものにした。こうした高度で思弁的な物語を創作し共有することができたからこそ、大集団の統合と組織的分業が可能になり、階級社会を構築し、宗教や法律を生み出したりすることが可能になったのだ。

③ 物語の普遍性

人間を人間たらしめている物語は、人間の自由な想像力によって紡ぎ出されるものであるため無数のバリエーションが可能である。アリもキリギリスも猿も犬も猫も、少年も老婆も王様も泥棒も、ドラゴンも精霊も宇宙人も登場させることができるし、天国や地獄を描くこともできるし、海底世界や太古の見知らぬ国を舞台にすることもできる。闘いが起きたり、恋愛に落ちたり、友情や裏切りがあったりと何でも起こすことが可能である。ストーリーは文字通り無限である。

しかし、人々の心を動かし集団で共有される物語には共通性があることが、物語論の研究によって明らかになってきた。一人一人の人間は多様性に富んでおり、世の中で起きる出来事は無限に多様であるが、人間は皆豊かさや自由を求めて生きているように、個別に見れば千差万別であり得る物語にも古今東西を超えて人間が感動し共有され得る普遍的なパターンが存在する。

先にレヴィ＝ストロースら文化人類学者が世界中の多数の神話を分析して、神話が「創世」と「来歴」という二つのファクターをもって構成されているという発見を紹介したが、ロシアの民俗学者ウラジミール・プロップやアメリカの神話学者ジョーゼフ・キャンベルらの研究によって、太古から伝わる物語には極めてシンプルで普遍的なパターンが存在することが明らかにされた。

数多の物語は因果応報の物語、恋愛の物語、英雄の物語等いくつかに大別されるが、全ての物語のコンテンツは31種類の要素によって成り立っていると発見したのがプロップである。つまり世界中に数多の物語が存在するが、それらの物語を構成要素に分けて整理してみると、因果応報の物語、恋愛の物語、英雄の物語も全て、主人公が試練を受ける、主人公が仲間の助けを得る、主人公の敵が罰せられる、というような31個の要素の組み合わせによって成り立っているという物語の仕組みを解明したのである。

それらの物語群の中でも特に人気があって、どの地域でもどの民族でも語り継がれている英雄の物語は全て同じパターンのストーリー展開になっているということを発見したのがキャンベルである。具体的には、全ての英雄譚(たん)は、

❶主人公が日常を離れて冒険の旅に出る
❷旅先で強力な敵や難題に遭遇する
❸苦労の末、敵や難題に打ち勝つ
❹日常の世界に戻る

というパターンの展開になっているのである。

こうしたプロップやキャンベルの物語分析が興味深いのは、彼らが発見したストーリー展開のパターンは、多くの地域や民族の神話や昔話に共通しているだけでなく、現代の作品にも同様に当てはまる点である。

人類最古の文字で書かれた物語である『ギルガメシュ叙事詩』もギリシア叙事詩の代表作品である『オデュッセイア』も❶主人公が旅に出て、❷強敵や難題に遭遇し、❸苦労の末、打ち勝ち、❹日常の世界に戻る、というキャンベルが提示したパターンで構成されている。同様に『ギルガメシュ叙事詩』から3000年以上も経った現代の大ヒット作品である『スター・ウォーズ』も、ファンタジーの元祖と言われる総発行部数4・5億冊の『指輪物語』も、現在第99巻国内総発行部数4億部超の『ワンピース』も、『ギルガメシュ叙事詩』とほぼ同じモチーフとパターンで構成されていることに驚かされる（『ワンピース』はまだ完結しておらず、現時点では❹の日常への帰還には至っていない）。

人々が感動し面白いと感じる物語にはシンプルな共通パターンが存在するという事実の根底にあるのは、人間の感情と共感の普遍性である。昔も今も、西洋人も東洋人も、人間は同じ物語に共感し感動するのである。

実は、物語を語るための言葉も世界で7000以上あると言われ、一見千差万別であるが、人間の脳の情報処理パターンを根拠とする単一の普遍文法から生成されていることを明らかにしたのがノーム・チョムスキーの「普遍文法理論」である。人間の脳の情報処理回路の生物学的普遍性によって普遍文法が存在しており、その普遍文法が環境や活動パターンの影響を受けて、7000以上もの自然言語を形成したとする理論である。どの民族・部族の神話も「創世」と「来歴」で構成されていたり、物語が単一の構造と展開でできていたり、という物語の共通性と同様の構造が言語そのものにも見ることができるのである。

つまり、一見多様で千差万別に見える言語も物語も、人間の脳のメカニズムに起因する情報処理回路と生物としての認知対象の共通性によって、普遍的パターンが存在するのである。本節で神話や物語の共通性について説明して来た結論がここにある。

物語は人間にとって根源的な認知の方法論であり、物語は人間にとって普遍的な感動と共感の手段である。物語は物理法則や工学の技術と比べると多様で曖昧なものに見えるかもしれないが、人間の脳のメカニズムに根差して感動と共感の機能を司る強靭な普遍性を持つものなのである。

2　物語のインパクト

前節では物語が人間にとってどのような機能と性質を持っているのかについて説明した。ここでもう一度整理しておこう。

❶物語は人間が世界と自身を認知する方法論である
❷集団は物語の共有がなされることで組織化される
❸物語（フィクション）は社会を動かす強い力を持つ
❹物語には普遍的な定型のパターンがある
❺多くの人が共感する物語のパターンは、脳のメカニズムに起因するため強い普遍性を持つ

物語についてのこれらの理解を前提に、本節では人類史において物語が歴史を動かし、世の中のあり様を形作ってきた事例を紹介しよう。社会に対する物語の力を実感して頂けるであろう。

①　社会を動かす物語

前節では神話や昔から語り継がれている物語を引いて物語の力と普遍性について説明したが、現代においても物語は社会を動かす強い力を持っている。物語によって描き出された豊かで幸せな生活やあり得べき社会の姿が、人々の行動に影響を及ぼすためである。物語が提示する豊かで幸せな日常への憧れを抱いた人々は、そのライフスタイルを取り入れて生活するようになるし、同様に、物語が示す社会のあり得べき姿が人々の共感を集めると、実際に社会はその理想像へ向かって変化していく。多くの人々の支持と共感を集める物語は、人々のライフスタイルを変化させ社会のあり様を変革させる力を持っているのである。

パパは何でも知っている

私たちのライフスタイルを形成した物語としては、例えば１９５０～６０年代にアメリカで大ヒットしたホームドラマ『パパは何でも知っている』が挙げられよう。このホームドラマは第二次大戦後の戦後復興プロセスの中で繁栄を享受するアメリカの典型的な中産階級の家庭の日常を描いた作品である。このホームドラマに登場するアンダーソン家の日常の姿が、戦争で荒廃した日本やヨーロッパの人々にとって目指すべき戦後復興の幸せのシンボルとなった。

ホームドラマで描かれているのは、アンダーソン家のありふれた日常である。手入れの行き届いた芝生で飼い犬と遊ぶ子供たちの姿や、休暇を利用してパパが家族を連れて旅行をするといった日常的な光景だ。今からすれば平凡に映るアンダーソン家の日常は、当時の日本やヨーロッパの人々には豊かな〝American way of life〟の象徴的な姿として羨望(せんぼう)の対象となった。

更にアンダーソン家の民主的な家族のあり様も新しい家族のあり方として人々の目指すべきモデルとなった。例えば家族の中でささいなトラブルが起きた際に、パパが中心となりつつもママや子供たちの意見を聞きながら家族全員で話し合う光景が描かれている。こうした民主主義的な家族のやりとりは、従来の日本では見られなかった光景であった。ドラマで示されたアメリカの家族のあり方が日本の人々の共感を大いに集めたことで、日本における家族のあり方に影響を与えた。

このように物質的に豊かなライフスタイルや民主主義的で仲の良い家族像といった新しい生き方の物語が『パパは何でも知っている』を通して提示され、敗戦直後の困窮していた日本人にとっての目指すべきライフスタイルとして受容された。実際に、アメリカ人のように豊かな暮らしを送りたいという希望をモチベーションとして勤労に励んだ日本人は、奇跡的な戦後復興を成し遂げて世界中の人々を驚かせた。物語が提示したライフスタイルへの憧れが現実に人々を突き動かし、その物語の内容が世の中の新しい価値観やスタンダード（標準の姿）を形成したのである。

『パパは何でも知っている』のようなアメリカの物質的豊かさやライフスタイルを描いた物語は、日本だけでなく世界中で憧れとなり、世界の新しいスタンダードを形成した。

ベルリンの壁

第二次大戦後の米ソ二極体制の冷戦を崩壊させる後押しをしたのもこうした物語であっ

たと言われている。

物語が歴史を動かした象徴的な事例がベルリンの壁の崩壊である。冷戦体制下でドイツは東ドイツと西ドイツの二国に分断されて統治されており、首都のベルリンには東西冷戦の象徴であるベルリンの壁が築かれていた。制度的にも物理的にも東西ドイツの人々は断絶状態であった。このように分断されたドイツでは、東西ドイツ政府は情報をコントロールして、自らの統治にとって都合の良い情報だけを選択的に流通させていた。いずれの国家でも、自国の方が相手国よりも豊かで素晴らしいとする情報を国民に流すことによって政府への支持と体制の保持を図っていたのである。

ところが、通信衛星が使われるようになってテレビ放送の性能が大幅にアップし、人々は壁の向こう側の番組を受信することができるようになった。西側諸国のテレビの電波がベルリンの壁を越えて向こう側の世界にも届くようになったのだ。その結果、東ドイツの人々は西側諸国の人々の生活が〝パパは何でも知っている〟的に豊かでハッピーなものであることを知ってしまった。東ドイツの人々がそれまで国家から教えられていた西側諸国の人々の生活は、強欲な資本家が幅を利かせ、庶民はこき使われて貧しく悲惨な生活をしているというものであったが、実際は普通の人々でも便利な家電製品と美味しそうな食事に囲まれて楽しく豊かな生活を営んでいるという事実を知ったのである。

壁の向こう側から流れ込んできたテレビ番組によって現実を知ってしまった東ドイツの人々は心の中にそうしたライフスタイルへの憧れを抱くようになった。西側諸国の物語が東ドイツの人々の心に芽生えさせた憧れと価値観が募っていった挙句に起きたのが、ベルリンの壁の打ち壊しなのである。そして周知のように、このベルリンの壁の打ち壊しを東側諸国全体の崩壊のシンボルとして、冷戦体制は終わったのである。

フラワーチルドレン

また物語は音楽やデモといった活動を通して世の中に広がり社会の変革に繋がることもある。その事例として、フラワーチルドレンと呼ばれたヒッピーの運動を紹介しておこう。

1960年代後半にアメリカで発生したヒッピー運動では、ラブアンドピースが旗印として掲げられ、既存の政治や体制に対する異議申し立てを行った。当時のアメリカはベトナム戦争へと突入しようとしており、この戦争を巡って激しい反発を示したヒッピーは「武器ではなく、花を」というスローガンを掲げてベトナム反戦運動を展開した。この反戦活動の際に、ラブアンドピースの象徴として花を洋服に付けたり人々に配ったりしたために、彼らはフラワーチルドレンと呼ばれるようになった。

彼らの有名な活動としては、１９６７年にアメリカの国防総省の本庁舎であるペンタゴンを囲んだ10万人規模の反戦デモが挙げられる。このデモの最中にデモ隊を鎮圧するために配置された警備兵のライフルの銃口に一人の学生がカーネーションの花を挿し込んだことが世界中でニュースとなった。この瞬間を捉えた「フラワー・パワー」と題された報道写真はピュリッツァー賞にノミネートされ、多くの人々が知ることになって、アメリカ国内の反戦気分は高まっていった。

こうしたデモや様々な反戦活動によって国内の世論は反戦に大きく傾いていった。この流れを受けて、ベトナム戦争を推進していたジョンソン大統領の支持率は低迷し、その結果、ジョンソン大統領は次期大統領選挙への出馬を断念せざるを得なくなる。

さらに１９６９年には、フラワーチルドレンは反戦とラブアンドピースをテーマにしたロックフェスティバル「ウッドストック」を開催し、8月15日からの3日間で40万人という歴史歴な動員を達成した。この「ウッドストック」はフラワーチルドレンだけでなく全米の多くの人々を巻き込んだ社会潮流を引き起こし、世界中で大きな話題となった。そして終いには、ジョンソン大統領の後を継いだニクソン大統領も国内の世論に押された形で

1973年にはベトナムからアメリカ軍を撤退させるに至った。

フラワーチルドレンによるラブアンドピースの物語がデモやフェスといった活動を通して社会に広まり、多くの人々の共感を集めたことによって歴史を動かしたわけである。

グレタ・トゥーンベリ

ごく近年の例で言えば、スウェーデンの少女グレタ・トゥーンベリの自然環境保護の一連の運動が挙げられよう。2018年にスウェーデン議会前で気候変動への対策が不十分であるとして、トゥーンベリはたった一人での抗議活動を開始した。単独での抗議活動を真摯に展開するトゥーンベリの姿はインターネットを中心としたメディアを通して世界中に広がり、翌年の2019年には彼女に触発された数百万人の若者が世界中でデモを展開し始めた。デモにおいて要求されたのは、国連の気候サミットに参加している国の政府が環境保全のために緊急の行動を起こすことである。トゥーンベリはこの国連のサミットにて演説を行い、気候変動への対策を怠っているとして世界の指導者に対して批判と要請のメッセージを送った。この演説はインターネットだけでなく数々のメディアによって直ちに全世界に報道されて世界中の人々の共感を呼び、環境保全に対する意識が高まった。

このように、たった一人が描き出した世の中の望ましい姿が人々の共感を集めることによって世界的なムーブメントを引き起こせるほどに、物語の持つ力は大きい。これらの事例から分かるように、物語は人々の心に共感や憧れを呼び起こし、新しい価値観や行動スタイルを社会化させる。物語は政治体制や法制度、習慣やライフスタイルといった社会の構造と行動を決める通奏低音となって社会を形作るのである。

② 歴史を導く物語

前項ではいくつかの身近な事例を通して物語の持つ力の一端を示したが、物語の力は歴史の流れを大きく左右するほどの力さえ持っている。先ほど、ベルリンの壁の崩壊やベトナム戦争終結にも物語の力が働いている事例を紹介したが、次に歴史が大きく転換し人類が新しいステージに進む上でも物語が大きな力を発揮することを示しておこう。

中世から近代へ

人類史において最もドラスティックなパラダイムシフトが起きたのが中世から近代への移行であろう。5世紀から15世紀とされる中世では「全ては神の思し召し(おぼしめし)」によって決まっていて、天体の運行も季節の移り変わりも農作物の出来具合いも神が司っており、事の善悪は神のご意思に適っているかどうかで裁かれた。そしてこうした世界観の下で、実際には教会が神の代理人として世の中のあれこれを司っていたのが中世である。

各国の王が即位するのにも教会の承認が必要であったし、収穫した農産物への課税はもちろん通行税や営業税も教会に納めなければならなかった。絵画は聖書のストーリーを描いた宗教絵画のみ、音楽も神を讃える讃美歌やミサで演奏される宗教音楽のみが認められた。ちなみに太鼓やドラムは人間に劣情を催させるという理由で禁止されていた。また神の意思や摂理に基づいて世界が成り立っているという理念の下、科学すらも教会が決めていた。ジョルダーノ・ブルーノが地動説を唱え、教会に神の摂理に反するとの審判を下されて火刑に処されたのは有名である。

こういう時代にあって人々は教会の管理・監督の下で神の思し召しに添うために慎ましく生活していた。実態は生きていくのがやっとの最低生活費水準の生活を強いられながら朝から晩までただ働かされていただけだが。十年一日どころか1000年にもわたって神の思し召しによって定常的な状態が延々と続いていくことが良いとされたのが中世である。

では17世紀から始まる近代はというと、最も尊重されるべきは人間の理性であり、科学を重視し、今日より明日、今年より来年へと全てが良くなっていくべきであるとする進歩主義的考え方が主流の世界である。理性こそ人間が存在する意義であるとするデカルトが近代哲学を開き、ニュートンは自然法則の基礎となるニュートン力学を開発し、ライプニッツは微積分法を発明した。現代の哲学や科学が始まったのが近代であり、人類を圧倒的に豊かにした産業革命もこの延長線上に起きた。

近代になって人間の社会的位置づけも大きく変わった。荘園に縛り付けられていた農奴は移動や引越しができるようになり、私有物や財産の所有も認められるようになった。17世紀後半にはイギリスで名誉革命が起きて「権利章典」が成立し、18世紀にはフランスでフランス革命が起きて「人権宣言」が出されて、市民によって構成される議会によって税や法律を決められる政治体制が確立していった。神の思し召しに従うだけだった人間が主権者にまでなった。中世において全てを統治していた神/教会の姿は、哲学にも科学にも政治にもどこにも見られない。

中世に幕を降ろした物語

神が絶対的存在であった15世紀までの中世と、人間の理性と科学が尊重されるようになった17世紀からの近代との間に何が起こったのかというと、16世紀に起きたルターらによる宗教改革である。

中世の終盤15世紀には何度もペストの流行があって人口の3分の1が亡くなってしまうほどヨーロッパは疲弊していた。人々は神に祈っても祈ってもペストで家族や友人がバタバタと倒れていき、食料の確保すらままならない不安と貧困の日々を送っていた。そうした状況の中で教会は貴族や荘園領主に死後の神の審判の際に優遇されて天国に行けるとする贖宥状(しょくゆうじょう)を売りつけて金儲けに勤しんでいた。

こうした教会の堕落に対して、ルターは1517年に「95か条の論題」を書いて教会に提出し、教会の腐敗と堕落の改革を求めたのだ。この「95か条の論題」が物語として当時の多くの人々の心に響き、共有されて、中世にピリオドを打つことになる宗教改革を引き起こしたのである。

当初はルターと教会の教義を巡る論争であったが、教会の支配に対抗したいという思いを持った諸侯や荘園領主による支援もあってルターは逃亡を続けながら主張を下ろさなかったので闘争は長引いていった。ルターが「95か条の論題」の中で掲げた「聖書に書かれていないことは認めるべきではない」というメッセージは心に響く物語としてヨーロッパ全土に拡大し、農民戦争や宗教戦争という歴史的事件に発展していった。そして、ルターの「95か条の論題」発表から約40年後の1555年にようやく改革派とカトリック側との間に和議が成立して、その土地の領主は何を信仰するのかを選ぶことができるという決着を見たのだが、これはカトリック教会の絶対的支配の崩壊を意味するものであった。実質的な中世の終焉である。

以上が、神が全てを支配した中世から人間の理性を最も尊重する近代へとパラダイムシフトさせる契機となった宗教改革の概略である。この歴史的大転換の起点はルターの「95か条の論題」という文書であり、そこで示されている「聖書に書かれていないことは認めるべきではない」というメッセージである。このメッセージが示す世の中の〝あるべき姿〟が物語として多くの人々の共感と支持を得て革命へと発展したのだ。

歴史を進めるテクノロジーと物語

なおルターの宗教改革では、世の中のあり様を刷新するもう一つの原動力であるテクノロジーも大きな役割を果たした。ルターの「95か条の論題」が発表される70年ほど前にグーテンベルクによって発明されていた活版印刷の技術である。中世では印刷技術が無かったため本や文書は大量に流布されることがなかった。そのため一般の人々は文字や文書を読む習慣がなかった。活版印刷の発明後70年ほど経って人々が本や文書を読むことに慣れて来た時にルターの宗教改革が始まったことも、「95か条の論題」が一気にヨーロッパ全土に広まった要因である。その意味で新しい社会を構築するための車の両輪たるテクノロジーと物語が見事に揃って歴史を動かした事例であり、物語が世の中の価値観や権力構造まで抜本的に転換させる力を持っていることを示した史実である。

このルターの宗教改革には、物語が世の中を動かす時のプロセスと条件が見て取れる。それは、人々が現在の政治や経済や社会関係といった様々な状況に不満や不安を抱いている中で、そうした状況を変えるための物語／言葉が登場し、多くの人々に共感・共有されて、人々が行動に移すという流れである。不満や不安といった感情が、人間の根源的認知の方法である言葉／物語によって意識的判断に結実し、感情と理性が統合された状態を生むのである。感情だけでも理性だけでも人間は明確な行動変容に至るような強い状態にはならない。感情を理性的判断に結晶化させ、集団を組織化する働きをするのが物語なのである。

3　大きな物語

物語は人間にとってどのような意味を持つのか、そして物語は社会にどのような力を及ぼすのかについて歴史を振り返りながら説明したが、次いで時代を把握し未来を見通すために有効な一つの言葉を紹介しよう。

物語という言葉がついた「Grand Narrative：大きな物語」という哲学の用語である。ある時代の人々が共有するあるべき世の中の姿を含意した物語のことで、20世紀後半のフランスの哲学者ジャン＝フランソワ・リオタールが『ポストモダンの条件』という著作の中で提示した。ここで言う「大きな物語」とは、あるべき世の中の姿とは社会を構築する上での基本思想となる価値観とその社会を運営していくための仕組みや法・制度といった社会運営の方法論から構成されており、世の中は「大きな物語」によって組み立てられ営まれて歴史は進んでいく。時代によって法律や権力機関といった世の中の仕組みも、豊かさの意味や望ましい人生のスタイルも大きく異なるが、そうした世の中の具体的なあり様を価値観と方法論において規定しているのが「Grand Narrative：大きな物語」である。

ちなみに、「大きな物語」は具体的なストーリーを持つ物語として示されるわけではない。何を良しとして何を悪しとするのかという価値観や社会規範、人々の日常の行動様式や人間関係に表れる、その時代の価値観と方法論の総体が「大きな物語」である。ベルリンの壁を越えて東ドイツ市民に届いた西側諸国のホームドラマやニュース、ペンダゴンを取り囲んだフラワーチルドレンのデモと「武器ではなく、花を」というメッセージや「ウッドストック・ロックフェスティバル」といった活動や声が一つ一つの物語として時代の大きな物語を構成する。そして大きな物語は、人々の共感と感動を呼び、時代を動かすのである。

① ポストモダンの混迷

リオタールは『ポストモダンの条件』の中で、近代という時代を特徴づける「大きな物語」は理性主義、科学主義、進歩主義であると指摘したが、それでは現代の「大きな物語」とは何であろうか。ここでは、これから到来する新しい時代の大きな物語を描くために考慮すべき条件をまず整理しておこう。

リオタールが『ポストモダンの条件』を著した20世紀中盤は、ポストモダニズム研究、即ち近代に続く時代はどうあるべきか、これから世の中の価値観や社会を運営する方法論はどうなっていくのかについての研究が盛んになされた時期である。この時期に近代の次に来るべき新しい時代（ポストモダン）のあり方が盛んに研究された背景には、歴史的な必然性がある。20世紀中盤と言えば第二次世界大戦が終わったばかりの時期である。世界中の国が戦争に巻き込まれ、多くの人が死に、ヨーロッパ全土が焼け野原になったという現実が、人類に突きつけられたのである。理性主義、科学主義、進歩主義という近代の大きな物語に則って突き進んできた挙句、人類が行き着いた先は二度の世界大戦と焼け野原であったという無残な現実に直面させられれば、だれしもが新しい大きな物語を求めるのは必然であろう。そのため近代の次に来るべき時代の大きな物語、即ちポストモダニズムの研究・運動は哲学、建築、文学、音楽や絵画といった芸術と極めて多岐の分野に及んだ。中でも時代の大きな物語を読み解き、次の時代のあるべき姿を描き出すことを本分とする哲学者はこぞってポストモダニズムの研究に取り組んだ。先に紹介したリオタールもこの時期の哲学者の一人である。

多くの哲学者が精力的に研究した結果、ポストモダンの姿としてどのような新しい大きな物語が提示されたのか。

結論から言うと、新しい大きな物語はだれも提示し得なかった。例えばリオタールが『ポストモダンの条件』で結論づけているのも「大きな物語の終焉(しゅうえん)」、即ち近代において社会を形作り時代を進めて来た理性主義、科学主義、進歩主義といった大きな物語はもはや通用しなくなったというメッセージにとどまり、次の時代に人々に共有されるべき新しい大きな物語を描き出すことはできなかった。この時期、名だたる哲学者や社会学者、歴史学者、政治学者、経済学者達がこのテーマに挑んだものの、リオタールだけでなくだれもポストモダンのあるべき姿を提示できなかったのである。だれもが承認し、共感・共有できるような大きな物語を描くことがあまりにも困難であったため、この間の哲学研究、思想研究は混迷し、隘路(あいろ)にはまり込んで行った。挙句の果てには難解な用語と言い回しで意味や論旨を複雑化するゲームのようになってしまい、物理学者ソーカルがそうした不毛なゲームを一刀両断にしたソーカル事件によってポストモダニズムの哲学ブームは終わった。

一言付言しておくと、この時期の哲学の所産としてレヴィ＝ストロースが提唱した「全ては状況によって規定される」という命題に象徴される「構造主義」は、新しい解釈と評価の方法論として評価され広く受け入れられた。構造主義的解釈によれば、それまで普遍性を持つとされていた理性や倫理といった西欧的価値観や理念は相対的なもので何ら絶対的なものではない。それらの普遍性を主張するのは西欧的傲慢である。正義や平等や自由といった社会にとって基本的な概念も、環境や歴史や固有の文化によって相対的に規定されるという、事象解釈の方法論である。

近代の大きな物語であった理性主義、科学主義、進歩主義がもたらしたのが、二度の世界大戦による多数の死者と焼け野原だったという悲惨な現実を突きつけられた西欧の研究者達は、西欧文明至上主義に対する省察をもって構造主義を受容的に受け止め、構造主義は新しい哲学の方法論としては承認されたが、新しい大きな物語を描き出すことには有効ではなかった。むしろ、あれも正義これも正義、あれも豊かさこれも豊かさといった相対化論の根拠に用いられ、人々が共有できるポストモダンのあり得べき姿を描き出すには至らなかったのである。

② 現代の歴史的意味

20世紀中盤〜後半のポストモダニズム研究は新しい時代に通用する大きな物語を描き出すことはできなかったが、われわれがこれから目指していくべき未来の大きな物語を紡ぎ出すためにも、現代という時代はいかなる状況にあるのかについて評価・理解しておくことは必要である。神が全てを創り出し、神が全てを支配するとされる中世から抜け出し、人間の理性と科学に信を置き、民主主義という制度によって神だけでなく王の専制も排除して、資本主義という経済の方法論によって近代という時代を進めてきた人類が今立っている時代の状況を、ここでもう一度簡単に総括しておきたい。

大きな物語の最も基本的な要件は、その大きな物語が示す価値観や方法論がその時代の人々を豊かに幸せにすることができるかどうかである。

神の思し召しに添って祈りを捧げ慎ましく暮らしていれば、人々は安心、安寧に暮らして行くことができるのであれば、中世の大きな物語は続いていただろう。神の思し召しに則って生活し、日々敬虔（けいけん）に祈っても祈ってもペストによって多くの人が亡くなり、神の代理人たる教会は神のご加護を取り次いでくれるのではなく贖宥状を売り捌（さば）いて金儲けばかりしているという絶望的な状況であったからこそ、人々は次の時代の大きな物語を求めたのだ。かつては神の思し召しとご加護によって人々は心の平安と平穏な生活を得ていたはずである。神に祈って日の出から日の入りまで田畑を耕すことで貧しいながらも食べていくことができていて、教会で神父の話を聞いて平安を得ることもできた時代はあったはずである。だからこそ、神と教会を中心にした中世の価値観と社会の仕組みが確立され、1

０００年にわたって中世の大きな物語が続いて来たのである。

　しかし教会支配による科学の沈滞が生産力の発展を妨げ、教会内部の派閥争いと諸侯の勢力争いがからんで内乱が相次いで国力が低下していき、終(しま)いには強大化したオスマン帝国によって東ローマ帝国が滅ぼされるに至って、教会は人々の生活を豊かにし心に平安をもたらす力を物理的にも精神的にも喪失してしまった。こうして14世紀〜15世紀には社会は次の時代の大きな物語を待ち受ける状況になっていた。そこに神の思し召しではなく人間の理性によって、神の定めた摂理ではなく科学によって、千年間輪廻(りんね)のように同じ日常が続くのではなく年々進歩していく世の中であるべきだという、近代の大きな物語が人々の心に見事に受け入れられたのだ。

　では、現代はどうだろう。

　先ほど触れたように、理性主義、科学主義、進歩主義で約３００年間歴史を進めて来たものの、行き着いた先は世界大戦と焼け野原である。戦後復興の40年〜50年間のプロセスでは豊かな生活と幸せな日常の回復があったものの、21世紀に入ると豊かさは飽和し、格差の拡大によって多くの人々は明るい未来を描けなくなっている。Ⅰ章、Ⅱ章で示したように、近代以降世の中を豊かにして来た資本主義ばかりか、人々を自由に平等にしてきた民主主義までが機能不全に陥っている。

中世末期のような状況である。

心の平安と生活の平穏を与えてくれていた神と教会が力を失い、祈っても祈っても平安も平穏も得られない生活。豊かな生活を実現してくれるはずであった資本主義が機能不全になり、働いても働いても膨張するのは資本ばかりで人々の生活は抑圧されたままの生活。更には格差が拡大することによって人々は平等ではなくなり、所得の低い多数の人々は自由も失いつつあるのが現在の姿である。

近代が始まる前夜、中世の大きな物語が人々を豊かにできていなかったように、現在は近代の大きな物語は人々を幸せにできていない。

ただし、新しい時代の大きな物語に向けて希望が無いわけではない。Ⅲ章で示したように、かつての産業革命に匹敵するほどのインパクトを期待できるＡＩ技術が登場し、日進月歩で開発が進んでいる。近代も理性主義、科学主義、進歩主義という大きな物語は、産業革命という技術革新を伴って現実的に人々を豊かに幸せにすることができた。言い換えれば、産業革命が生起して経済生産力を爆発的に増大させることができたからこそ、理性主義や科学主義が現実のものとなって人々を豊かに幸せにすることができたのだ。

こう考えると、現在をＡＩ革命が勃興する前夜と見なせば、ＡＩ化時代に適合した新しい大きな物語が成立し、人々に共有されれば、人類は新しい時代へと進むことができるのだ。

4 現代の大きな物語

17世紀に近代の大きな物語が唱えられ、18世紀に産業革命が起きたことによって、人類は飛躍的に豊かになった。産業革命は化石燃料活用による物理的パワーをもたらしてくれ、人々を肉体的労働から解放してくれた。様々な財の生産量が飛躍的に増えたことによって世の中は見違えるほど豊かになった。産業革命後の２００年間で世界の人口は3・5倍になり、寿命は2倍に伸びたし、何より余暇やレジャーを楽しむ余裕もできた。現在のほとんどの人々は中世の貴族以上の生活水準を享受している。

そして今、圧倒的な情報処理パワーをもたらしてくれるＡＩ革命が勃興しつつある。ＡＩが実用化されると、人間は多くの知的作業から解放される。データ集計や単純な情報整理だけでなく、高度な知的業務と言われている金融やプログラム設計のような領域までＡ

Iがこなせるようになって来ているのはⅢ章で示した通りである。AIによる飛躍的な生産性の向上に加えて、産出された財貨の再分配の仕組みが確立されれば人類は生きるための労働から解放され、新しい歴史のステージに進むことができるのだ。

それでは、産業革命がもたらしてくれた肉体労働からの解放と、AI革命がもたらしてくれるであろう知的労働からの解放によって、人類はどのような生活と人生を手に入れることができるのか。またそうした新しい時代を導くための現代の大きな物語とはどのような価値観と方法論で描かれるのか。人間の幸福の原点に立ち返って考えてみたい。

① 労働からの解放

Ⅲ章で詳述したことであるが、現代の大きな物語を考える上でまず認識しておくべきなのが、こうしたテクノロジーの進展によって人類は生きるための労働から解放され得るということである。産業革命によって無限の物理的エネルギーを獲得したことによって、高層ビルを建てたり、巨大タンカーで大量の物資を運んだり、日本とアメリカの間を10時間のフライトで移動できるようになった。生産性、効率性という観点では少なくとも100倍以上、あるいは無限大に向上したわけである。

それと同様に、これからAIが発達しどんどん経済活動に利用されるようになると、大半の情報処理業務の生産性は少なくとも100倍とか数千倍、数万倍になる。言い換えれば、それまで100人でやっていた仕事がたった1人でできるようになるということだ。先に紹介したように、証券会社では600人でやっていた株式のトレーディング業務にAIを導入することによってたった2人で業務を遂行できるようになったというような事例も既に多々出て来ている。

このように人間が肉体労働からも知的労働からも解放されると、言い換えるなら現在人々が消費している財やサービスのほとんどをロボットとAIが人間に代わって生産してくれるようになり、そして合理的な再分配の仕組みが整えられれば、人間はほとんど働かなくても現行の生活水準は享受できるようになる。AIをいかに実用化していくかとか、AIの活用によって産出された財・サービスを再分配するための制度をどのようにして実現するかといった課題はあるものの、AIが持つ圧倒的な生産力向上のポテンシャルはそうした現実的課題を乗り越えていけるだけの必然性を持つ。それらの課題が解決されて、人々が働かなくても生活できるような状況になった時、人間はどうすればより豊かに生活し、より幸福な人生を送ることができるのかを描き出すことが、これからの時代の大きな物語の核心となるだろう。

② エウダイモニア

人間の営為を「目的」と「手段」に分けて、人間の幸福を探究したアリストテレスの教えが一つの参考になろう。人間の営為の大半は何らかの目的を達成するための手段として行われているが、アリストテレスはある営為を行うこと自体が何かのための手段ではなく究極の目的であるようなエウダイモニア（幸福の行為）があるとした。そして、エウダイモニアは真・善・美を生み出すことであると喝破した。真は真理の追究に関すること、善は人の為、世の為になる善行、美は美しいものの創作である。エウダイモニアとしての真善美は、儲けるために新しい発見をしようとか、選挙運動でアピールするために社会奉仕活動をしようとか、展覧会で賞を獲るために大作の絵を描こうといった、何かを得るための手段としての行為ではない。その行為、その活動をすること自体によって、自己充足感や幸福感を得られるような究極の目的としての真善美である。

古代ギリシアにおいては、人々が生きるために必要な物資は奴隷労働によって生産されていた。市民は生きるための労働からは解放されていたのである。この点が、これからわれわれ現代人が享受し得るであろう生きるための労働から解放されるという大きな前提条件が共通していることになる。その意味で、アリストテレスが提起したエウダイモニアとしての真善美の追求こそ、労働から解放された人間を豊かに幸せにする営為であるという考えは大いに参考になると考えられる。

アリストテレスが提起したエウダイモニアの概念と真善美を追求する行為の価値は、その普遍性の故に暗い中世に明るい光を灯す役割を果たした。

教会への信頼が崩壊し、神の権威が揺らぎ始めていた中世の終盤14世紀に、イタリアではルネサンス運動が勃興した。ルネサンスは、知的活動や創作活動まで神の思し召しと神の摂理に制約されてきた反動として湧き起った、人間らしさを尊重・賛美した文芸・芸術の復興活動である。そのためルネサンスはキリスト教が世の中を一元的に支配する前のアリストテレスが生きた古代ギリシアに尊重された真善美を復興させようとする思想を持っていた。中世において絵画や彫刻は神や天使、あるいは聖書のシーンを描いたいわゆる宗教画しか許されなかったが、生身の人間を描いた作品が登場し、称賛された。ダ・ヴィンチが描いた商人の妻の肖像画「モナ・リザ」が代表作である。またラファエロは「アテナイの学堂」という作品でプラトンやアリストテレスといった古代ギリシアの哲学者・科学者を描いたが、これは古代ギリシアの真善美に対する敬意を表したものである。

このようにそれまでの宗教画にはなかった人間の活き活きとした姿をモチーフにした作品が次々に創作されるようになり、芸術の概念や社会における位置づけも変化した。そうした人間性を尊重した動きは絵画の分野だけでなく、様々な文芸・芸術の分野にも伝播して行った。人間の生々しい生活が書かれた小説が出され、メロディーや和音が豊かな音楽が登場し、文化・芸術の分野は中世時代とはうって変わって華やぎ、活況を呈した。

このルネサンス運動が示しているのは、神による支配と抑圧に対するアンチテーゼとして人々が希求し回帰する対象は、必然的に人間性、人間らしさになるということである。この必然性をもって考えると、資本が神のごとく君臨し、全てが経済合理性で評価・判断されている現在も、人々が回帰すべきは、経済合理性から離れ、人間らしさや人間性に調和するものとなるであろう。そしてそれは、それを行うこと自体が喜びや尊厳を与えてくれるエウダイモニア的な真善美の性格を持つものとなるだろう。これから描かれるべき新しい大きな物語には第二のルネサンス的な人間性を尊重した価値観が求められることになろう。現在、労働者としても消費者としても、両方の面で資本が儲けるための手段にされてしまっている人々が、これからの時代にまず求めるべきなのは人間らしさへの回帰である。

③ ホモ・ルーデンス

新しい大きな物語を構想する上で、真善美から成るエウダイモニアと並んで、もう一つ参考にすべき概念がある。歴史学者ホイジンガによる「ホモ・ルーデンス」という人間の定義である。

本章の冒頭で人間は「ホモ・サピエンス＝賢い人」であるという生物学者リンネによる人間の定義を紹介したが、ホイジンガによる「ホモ・ルーデンス」は「遊ぶ人」という意味である。ホイジンガは、人間の人間たる所以、即ち人間と動物の違いは遊びをするか／しないかにあると定義した。

動物は生き延びるための活動しかしない。ライオンが獲物を狩るのも、白鳥がシベリアから北海道に渡って来るのも、生存のための活動である。餌を捕ることと繁殖するための活動以外は基本的には何もしない。無駄なエネルギーを使わないためである。ライオンやイヌが生まれてからしばらくの間は兄弟でじゃれ合って遊んでいるように見えるが、これは親が餌を与えてくれる短い幼児期の間だけのことであり、しかも狩りのための体づくりと技術習得のトレーニングである。動物は成獣化してからは遊びはしない。遊びに無駄なエネルギーを使うと、そのエネルギーのためにより多くの餌をとる必要性が生じたり、天敵に見つかる原因になったりして、生き延びる確率を減らしてしまうからである。

一方、人間は子供の時はもちろん、大人になってからも遊ぶ。週末のゴルフや釣りといった趣味のために平日の仕事を頑張っているという人も多い。ライオンは子供の時に狩りの技術を習得するためにじゃれたり遊んだりするが、人間は大人になっても遊ぶために働いていることも少なくないのである。こうした事実を見ても、人間が人間らしくあるための要素として遊びは欠かせない。ホモ・ルーデンスという人間の定義は、ホモ・サピエンスと同様に人間の本質を的確に表していると考えて間違いないだろう。

④ 文化と交流

ホイジンガは動物と人間の最も重要な違いを遊びをするかしないかに見出し、人間の本質は遊びにあるとしたが、遊びから生まれるものが文化と交流である。遊びの中から生まれる文化と交流が人間を楽しませ、生活を豊かにし、人間らしさを形成するのである。

遊びから生まれる文化の典型が人文・芸術である。まず人文・芸術がいかに人間にとって根源的なものであるかについて示しておこう。

人類は太古の昔から人文・芸術の原型となる活動を自らの楽しみ・喜びのために行って来た。

例えば絵画で言えば「ラスコーの壁画」は約2万年前にクロマニョン人によってフランスのラスコー洞窟に描かれたシカやウシの絵で、絵画の原点として有名である。雨で狩りができない日に洞窟で雨をしのぎながら、獲物に思いを馳せながら描いたのではないかと言われている。躍動感溢(あふ)れる野生動物の活き活きとした姿を描き出した描写力は現代でも芸術の域に達していると評価されるほどである。

音楽も太古の昔から人々の暮らしとともにあった。文字を持たない民族は存在するが、音楽を持たない民族は存在しないと言われているほど、音楽は人間にとって根源的に必要とされるものである。音階とリズムは人間に心の高揚と独特の情緒を与えてくれる。そうした高揚や情緒を味わい楽しむために、どの民族も太古から生活の中に音楽があった。

身体的なパフォーマンスである踊りやダンスも人間にとって根源的な営みである。人は嬉しいことがあって踊り、闘いに臨んで踊り、神に祈って踊る。音楽やリズムに乗せて体を使って踊ることは、人に高揚感をもたらせてくれたり、仲間との紐帯(ちゅうたい)を強め集団の関係性を築いてくれたりと、人間が生きていく上で自然で重要な営為である。このように芸術は人間の存在に根源的に結びついて人間を人間たらしめている必要不可欠な営為なのである。

こうした文化・芸術に発展していく他に、もう一つ遊びから生まれて来る人間にとって根源的な楽しみ／喜びがある。「交流」である。

人間は群れの動物である。狩りをするのも集団で行うし、田植えや収穫も集団で行う。その方が生産性が高く、収穫量が増し、生存確率が高まるからである。ただし、群れで活動するのはそうした生産的活動だけではない。遊びにおいても、他者や仲間との交流を伴うものが多い。交流を伴うママゴトや鬼ごっこといった集団での遊びも、囲碁や将棋といったゲームも、複数人で楽しむ遊びの方が一人遊びよりも種類が多い。そればかりか、一人でも可能な俳句の創作や一人でも踊れるダンスでも、同好の士が集まって句会をやったりフォークダンスや集団舞踊として集団で楽しむことが多い。

集団で遊ぶことが多いのは、そこに交流を伴うからである。人間にとって交流はそれ自体が楽しく幸せなものなのである。その意味において、究極の遊びは〝おしゃべり〟だと言えるかもしれない。ソクラテスも「人間にとって最大の楽しみは会話である」と語ったとされているが、究極の遊びの楽しさの本質は人との交流にあるのである。

このように、人間が余裕のエネルギーと時間を、生きていくためには必ずしも必要ではない遊びと文化・芸術や交流に注ぎ込んで来たことこそが人間らしさの本質であり、そうした文化と交流の集積が物質的価値や利便性以外の豊かさ、つまり人間にとって根源的な楽しみや喜びの源泉になっている。

こうした文化や交流に繋がっていくような遊びこそが人間の人間たる所以であるというのが、ホイジンガによる「ホモ・ルーデンス」としての人間の定義であるが、新しい大きな物語を描く上で回帰すべき人間のあり得べき姿として大いに参考にすることができよう。

⑤　人類は新しいステージへ

先に挙げたアリストテレスの「目的／手段」の区分と照らし合わせても、ホイジンガの遊び、即ち文化と交流は人間がそれ自体を楽しむために行う「目的」の営為であり、遊びから発展した芸術の崇高さや社会との交流における徳の集積はアリストテレスの真善美とも符合する。遊びは人間にとっての根源的な目的であり、人間らしさの核心は遊びから生まれる文化と交流にあるのである。

ところで、アリストテレスの掲げた真善美の追求は、古代ギリシア社会が奴隷によって生産活動が賄われていたからこそ成立したものであった。同様に、ホイジンガの遊びはライオンやイヌであれば親が養ってくれる幼少期に限られ、人間も生活に余裕があることが遊びの前提条件となっていた。両者がともに語っているのは、「人間は生きていくために必要な条件が整えば、遊び、交流し、芸術に勤しみ、真善美を為す。こうした活動をすることが人間の楽しみ・喜びであり、人間らしい生き方である」ということである。

これからＡＩがどんどん発達していけば、飛躍的に生産性が高まり、人間は労働しなくとも生きていくのに必要な財やサービスを得ることができるようになる。経済力と経済合理性が支配している現代社会では、所有する財の金銭的価値が豊かさであり、金を稼ぐ能力やスキルが幸せな人生を営むための資質であった。しかしＡＩの活用とそれに伴って必然的に求められる再分配の仕組みが社会運営の方法論として実現した歴史ステージでは、保有する富の量や金を稼ぐ能力の価値は一気に低下する。金を稼ぐための知性やエネルギーがあるならば、夢中で遊び、楽しく交流し、真剣に真善美を追求することに使った方が得られる豊かさも人生の幸福度もずっと大きなものになる。

「働かざる者、食うべからず」という規範の下で20世紀まで歴史を進めて来た人類が、

「ホモ・サピエンス」の所産であるＡＩによって生きるための労働から解放され、「ホモ・ルーデンス」としての人間らしさの原点である遊び、即ち文化と交流に勤しむことができる世の中になる。人類がこれから迎えようとしている新しい歴史のステージは、生きるための労働から解放されて遊びによる文化と交流を楽しみ、真善美を追求する世の中であり、人間がより人間らしく生きる世界である。

5　文学部の逆襲

①　文学部の使命

ホモ・サピエンスたる人類の叡智（えいち）は道具と言葉に象徴される。その所産と営為はそれぞれ科学と人文に整理することができる。物理学や工学といった科学が自然の現象を対象にした領域であるのに対して、哲学や文学、歴史学といった人文は人間と社会を対象にした、言うなれば〝人間らしさ〟に関わる領域である。科学は自然の法則やメカニズムを明らかにして方程式を立てたり技術を開発したりする。一方人文は、人間と人間集団の中にインストールされている法則性や必然性を明らかにしようとするもので、意味や価値といった定性的側面をも扱うというのが特徴であり強みである。

人文によって探査され、打ち立てられる命題は自然科学のそれとは違って固有の一つの解に収斂（しゅうれん）するものではない。研究者の想像力によって描き出される物語の性質を持つ。とは言え、物語が人間の認知の根源的な方法論であることに起因する普遍性や、人間の共感のメカニズムに由来する物語のストーリーの共通性が示すように、物語は時代や民族を超えた普遍性を持つ。そしてこの人文の持つ普遍性は自然科学の研究が見つけ出す自然の法則や方程式の普遍性に劣らないほどの強度を持つ。だれもが納得し、だれもが共感し、社会を支えるための骨組みとなるほどの現実的な力を持つのである。だからこそ、例えば聖書は２０００年以上も人々の心の拠り所となって来たし、デカルトが打ち立てた理性主義の哲学が３００年間にもわたって近代という時代を支えることができたのである。

人間の叡智の営為である科学と人文、またそれぞれの所産である技術と物語のうち、70年前に人文が近代の物語の終焉を託宣したもののポストモダンの大きな物語はまだ語り得なかったのは事実である。しかしその後、科学の奮闘によってＡＩという素晴らしい道具が開発され、これまでとは全く違う物語を語るための素材が提供された。次は人文が社会的使命として、ＡＩという新しい材料を使って歴史を進める新しい大きな物語を描き出し、自らのレゾンデートルを示す時である。

② 文学部の逆襲

新しい時代に向けた大きな物語を創造するために、哲学や文学や歴史学といった人文の城である「文学部」が歴史的使命を果たす活躍が今こそ求められているのに、世の中では文学部廃止論が浮上して来ている。

具体的に言うと、２０１５年に文部科学省から「国立大学法人等の組織及び業務全般の見直しについて」という通知が出された。その通知の主旨は、人文系の学部を縮小・廃止して、社会的要請の高い分野（即ち、情報系や工学部系学部）に転換せよというものである。有り体に言うと、哲学や文学や歴史学をやっていてもＧＤＰの成長や企業競争力の強化に役立たないので、人文系への資源投入（ヒトとカネ）を止めてＩＴや工学といった経済に直接貢献する実学に回すべしということである。

正直、これには驚いた。

今こそ文学部の活躍に期待すべき時という話を進めてきた本書のメッセージと全く逆の

政策方針だからである。

エウダイモニアの説明において人間の営為を「目的」と「手段」に分類する考え方を紹介したが、この文学部廃止政策はそれ自体が目的であるとは考えられない。文学部が廃止されたところで、だれにも大した幸福は生まれないからである。では、この文学部廃止政策はどのような目的のための手段なのか。

その答えは、政府の通知に書いてあった。GDPの成長や生産効率の向上といった経済活動の拡大が目的として示されていた。その目的の背後には現代の僭主(せんしゅ)たる資本の意図が透けて見えている。資本が自らの権勢と利益を更に拡大するために、人文系の研究などぞ止めてしまえという思惑である。

GDPや資本収益率がこれ以上拡大しても人々の生活や人生はたいした恩恵を受けられなくなってしまっているのはI章で示した通りである。現在人々が豊かさを実感できるようになるために必要なのは経済で言えば富の再分配であり、政治で言えば社会保障の充実や国民のニーズが政策に反映される仕組みである。にもかかわらず、更なる資本の強大化と経済合理性という一元的価値観の強化を目的として、大きな物語の本籍地である文学部を直撃する政策が出されたのである。先に時代の閉塞状況を中世末期と対比して示したが、まるで教会が金儲けのために贖宥状を売り捌いた行為や、天動説に異を唱えたブルーノを火あぶりの刑に処した事件のように、ここまでやるのかというため息をつきたくなるような政策である。

そもそも実験装置や施設がほとんど必要ない文学の予算のウェイトはもともと小さい。にもかかわらず、更なる廃止・縮小を政府の力で進めようとするのは、人文の価値と意義を社会から根絶やしにしてしまいたいかのようにすら映る。資本の専制状態を覆すことにつながるかもしれない新しい大きな物語が、近い将来に人文の領域から生まれて来ることを危惧した挙句の周到な政策だというのは勘ぐり過ぎかもしれないが。

いずれにせよ、今起きていることは資本による一元的支配が新しい大きな物語を描き出す本籍地にまで及んで来ているということであり、これは人間の叡智と人間らしさの危機なのである。

何としても今、文学部に携わる方々だけでなく、私たち人間全員の心の中にインストールされている人文的なるものによって「文学部の逆襲」を起こさねばならない。

参考文献

【第I章】

書籍

・アンガス・マディソン『世界経済史概観』政治経済研究所（翻訳）、岩波書店、2015年
・グレゴリー・クラーク『10万年の世界経済史』久保恵美子（翻訳）、日経BP、2009年
・フリードリヒ・ハイエク『隷従への道』村井章子（翻訳）、日経BP、2016年
・ミルトン・フリードマン『選択の自由』西山千明（翻訳）、日本経済新聞出版、2012年
・エズラ・ヴォーゲル『ジャパンアズナンバーワン』広中和歌子、木本彰子（翻訳）、阪急コミュニケーションズ、2004年

・宇沢弘文『社会的共通資本』岩波書店、２０００年
・トマ・ピケティ『21世紀の資本』山形浩生、守岡桜、森本正史（翻訳）、みすず書房、２０１４年
・ロバート・B・ライシュ『暴走する資本主義』雨宮寛、今井章子（翻訳）、東洋経済新報社、２００８年
・ジョセフ・スティグリッツ『世界を不幸にしたグローバリズムの正体』鈴木主税（翻訳）、徳間書店、２００２年
・ジョセフ・スティグリッツ『世界に格差をバラ撒いたグローバリズムを正す』楡井浩一（翻訳）、徳間書店、２００６年
・ジョセフ・スティグリッツ『世界の99%を貧困にする経済』楡井浩一、峯村利哉（翻訳）、徳間書店、２０１２年
・ダグラス・ラミス『経済成長がなければ私たちは豊かになれないのだろうか』平凡社、２００４年
・ルトガー・ブレグマン『隷属なき道』野中香方子（翻訳）、文藝春秋、２０１７年
・斎藤幸平『人新世の「資本論」』集英社、２０２０年

雑誌・論文・レポート等資料

・IMD（2018）"World Competitiveness Yearbook: the 30th Edition"

・国税庁「民間給与実態統計調査（令和元年）」２０１９年

・国立社会保障・人口問題研究所「日本の世帯数の将来推計（全国推計）」２０１８（平成30）年

・Helliwell, J., Layard, R., & Sachs, J.（2019）"World Happiness Report 2019, New York: Sustainable Development Solutions Network".

【第Ⅱ章】

書籍

・ジャン＝ジャック・ルソー『社会契約論』桑原武夫、前川貞次郎（翻訳）、岩波書店、１９５４年

・ジョン・ロールズ『正義論』川本隆史、福間聡、神島裕子（翻訳）、紀伊國屋書店、２０１０年

・アダム・スミス『道徳感情論』村井章子、北川知子（翻訳）、日経ＢＰ、２０１４年

・ジョン・ステュアート・ミル『経済学原理（全五巻）』末永茂喜（翻訳）、岩波書店、1959―1963年
・ジョン・メイナード・ケインズ『雇用、金利、通貨の一般理論』大野一（翻訳）、日経BP、2021年
・カール・マルクス『資本論〈第一巻（上）（下）〉』今村仁司、鈴木直、三島憲一（翻訳）、筑摩書房、2005年
・エドマンド・バーク『フランス革命の省察』半澤孝麿（翻訳）、みすず書房、1997年
・オルテガ・イ・ガセット『大衆の反逆』神吉敬三（翻訳）、筑摩書房、1995年
・丸山真男『日本の思想』岩波書店、1961年
・森政稔『戦後「社会科学」の思想』NHK出版、2020年
・小沢修司『福祉社会と社会保障改革』高菅出版、2002年
・山森亮『ベーシック・インカム入門』光文社、2009年
・波頭亮『成熟日本への進路』筑摩書房、2010年

【第Ⅲ章】

書籍

・松尾豊『人工知能は人間を超えるか』KADOKAWA、2015年
・井上智洋『人工知能と経済の未来』文藝春秋、2016年
・奈良潤『人工知能を超える人間の強みとは』技術評論社、2017年
・日経ビッグデータ『グーグルに学ぶディープラーニング』日経BP、2017年
・ロバート・ライシュ『勝者の代償』清家篤（翻訳）、東洋経済新報社、2002年
・ジャレド・ダイアモンド『銃・病原菌・鉄（上下巻）』倉骨彰（翻訳）、草思社、2000年
・トーマス・セドラチェク『善と悪の経済学』村井章子（翻訳）、東洋経済新報社、2015年
・波頭亮『AIとBIはいかに人間を変えるのか』幻冬舎、2018年

雑誌・論文・レポート等資料

・野村総合研究所「日本の労働人口の49%が人工知能やロボット等で代替可能に」2015年

・PwC (2017) "PwC's Global Artificial Intelligence Study: Sizing the prize".
・総務省「ＩｏＴ時代におけるＩＣＴ経済の諸課題に関する調査研究」２０１７年
・Heather Long (2016) "U.S. has lost 5 million manufacturing jobs since 2000".
・McKinsey Global Institute (2017) "Jobs lost, jobs gained: Workforce transitions in a time of automation"
・Yvan Guillemette & David Turner (2018) "The Long View: Scenarios for the World Economy to 2060". *OECD Economic Policy Papers* 22, OECD Publishing

【第Ⅳ章】

書籍

・國分功一郎『暇と退屈の倫理学』朝日出版社、２０１１年
・鷲田清一『「待つ」ということ』ＫＡＤＯＫＡＷＡ、２００６年
・バートランド・ラッセル『幸福論』安藤貞雄（翻訳）、岩波書店、１９９１年
・クロード・レヴィ＝ストロース『神話論理（全5冊）』早水洋太郎ほか（翻訳）、みすず書房、２００６―２０１０年

・ウラジミール・プロップ『昔話の形態学』北岡誠司、福田美智代（翻訳）、水声社、1987年
・ジョーゼフ・キャンベル、ビル・モイヤーズ『神話の力』飛田茂雄（翻訳）、早川書房、2010年
・ジャン＝ミシェル・アダン『物語論』末松壽、佐藤正年（翻訳）、白水社、2004年
・ノーム・チョムスキー『統辞構造論』福井直樹、辻子美保子（翻訳）、岩波書店、2014年
・ジャン＝フランソワ・リオタール『ポスト・モダンの条件』小林康夫（翻訳）、水声社、1989年
・アリストテレス『ニコマコス倫理学』高田三郎（翻訳）、岩波書店、1971年
・ヨハン・ホイジンガ『ホモ・ルーデンス』里見元一郎（翻訳）、講談社、2018年
・フランシス・フクヤマ『歴史の終わり』渡部昇一（翻訳）、三笠書房、2020年

雑誌・論文・レポート等資料

・文部科学省「国立大学法人等の組織及び業務全般の見直しについて（通知）」2015年

あとがき

まえがきでも紹介したが、本書は政治と経済と歴史と、思想とテクノロジーと文化について、全方位的な検討を踏まえた時代へのメッセージである。〝巨人の肩に乗って〟という表現があるが、筆者は大勢の巨人達が組み体操で作ってくれた大きな櫓（やぐら）の上に座らせてもらって本書を書かせてもらった感じがしている。改めて読み直した古典も少なくなかったし、新しく勉強したことも多々ある。そうした中で気づかされたのは、本書の扱うところは実は既に70年前、即ち第二次大戦直後から「ポストモダンのあり方」として様々な分野で探究されて来た現代の最大のテーマであるということである。

この「ポストモダンの探究」は芸術や思想の分野においては新しい潮流を生み出し一定の成果を見ることができるが、わたしたちの現実生活を直接規定している政治と経済に関しては残念ながら新しい柱を打ち立てたとは言い難い。相も変わらず資本主義と民主主義という近代の道具に頼り続けている。その結果、日本を筆頭に多くの先進国ではこの20年間ほど自由も豊かさもさして増進したとは言えないのが現実である。多分、この二つの道具は賞味期限を迎えているのであろう。

こうして見てみると時代を代表する知の巨人達が70年間にもわたって挑戦してもその姿を明らかにすることができなかったポストモダンの姿は存在しない幻なのかもしれないと、一時は虚無的思いにかられそうになったのだが、〝今〟の時代だからこそ手にすることができた歴史的事実に気づくことができた。AIの登場である。現在のAIはかつての産業革命のケースで言えばまだワットの蒸気機関がやっと登場したレベルかもしれないが、蒸気機関の誕生からわずか数十年のうちにエンジンと電力に発展して生産様式と生活スタイルだけでなく政治や経済まで一変させた（それが民主主義と資本主義であるが）。同様に、AIもあと20年〜30年もすれば世界のあり様を一新し得るほどに発展するであろう。

世界のあり様が一新される時、豊かさの形も人生の意味も一変する。あとは、AIという理性と科学が生み出してくれた歴史の推進力をどう使ってどういう世の中を作り、人間はどう生きていくべきかを人文知が描き出してくれるのを待つばかりである。

人は物語で世界を認知し、物語の中で人生を歩む。科学と合理性が大活躍して時代を牽引して来た近代を経て、人間らしさを至上とするポストモダンの世界の扉を開くのは新しい物語である。哲学、歴史、文学、芸術といった人文の叡智の奮発と大活躍を心から期待している。

本書の執筆・刊行に当たっては、突然の持ち込みであったにもかかわらず快く出版を引き受けて下さった筑摩書房と丁寧に原稿を整えて下さった伊藤笑子氏に心より感謝しています。

また多岐にわたる資料・原典のチェックだけでなく、本書の構成や文章・表現にも多くの有益なコメントをくれた筆者事務所の宮澤将史氏にもたいへん助けられました。心より感謝します。

本書は近現代の世の中の仕組みと課題を総括したものであり、これからの社会のあるべき姿を考える一助になり得る一冊だと自負しています。一人でも多くの人に読んで頂ければ幸いなのはもちろんですが、特にこれからの時代を拓(ひら)き、これからの社会を担う若い方々に読んで頂けることを願っています。

筆者

ちくま新書
1603

文学部の逆襲
――人文知が紡ぎ出す人類の「大きな物語」

二〇二一年一〇月一〇日　第一刷発行

著者　波頭亮（はとう・りょう）

発行者　喜入冬子

発行所　株式会社 筑摩書房
東京都台東区蔵前二-五-三　郵便番号一一一-八七五五
電話番号〇三-五六八七-二六〇一（代表）

装幀者　間村俊一

印刷・製本　三松堂印刷 株式会社

本書をコピー、スキャニング等の方法により無許諾で複製することは、法令に規定された場合を除いて禁止されています。請負業者等の第三者によるデジタル化は一切認められていませんので、ご注意ください。
乱丁・落丁本の場合は、送料小社負担でお取り替えいたします。
© HATOH Ryo 2021　Printed in Japan
ISBN978-4-480-07431-7 C0200

ちくま新書

1176
迷走する民主主義
森政稔
政権交代や強いリーダーシップを追求した「改革」がもたらしたのは、民主主義への不信と憎悪だった。その背景に何があるのか。政治の本分と限界を冷静に考える。

035
ケインズ
――時代と経済学
吉川洋
マクロ経済学を確立した20世紀最大の経済学者ケインズ。世界経済の動きとリアルタイムで対峙して財政・金融政策の重要性を訴えた巨人の思想と理論を明快に説く。

785
経済学の名著30
松原隆一郎
スミス、マルクスから、ケインズ、ハイエクを経てセンまで。各時代の危機に対峙することで生まれた古典には混沌とする経済の今を捉えるためのヒントが満ちている！

1276
経済学講義
飯田泰之
ミクロ経済学、マクロ経済学、計量経済学の主要3分野をざっくり学べるガイドブック。体系を理解して、大学で教わる経済学のエッセンスをつかみとろう！

1550
ヨーロッパ冷戦史
山本健
ヨーロッパはなぜ東西陣営に分断され、緊張緩和の後は一挙に統合へと向かったのか。経済、軍事的側面にも注目しつつ、最新研究に基づき国際政治力学を分析する。

1342
世界史序説
――アジア史から一望する
岡本隆司
ユーラシア全域と海洋世界を視野にいれ、古代から現代までを一望。西洋中心的な歴史観を覆し、「世界史の構造」を大胆かつ明快に語る。あらたな通史、ここに誕生！

1165
プラグマティズム入門
伊藤邦武
これからの世界を動かす思想として、いま最も注目されるプラグマティズム。アメリカにおけるその誕生から最新の研究動向まで、全貌を明らかにする入門書決定版。

ちくま新書

533 マルクス入門　今村仁司

社会主義国家が崩壊し、マルクス主義が後退した今、マルクスを読みなおす意義は何か？　既存のマルクス像からはじめて自由になり、新しい可能性を見出す入門書。

020 ウィトゲンシュタイン入門　永井均

天才哲学者が生涯を賭けて問いつづけた「語りえないもの」とは何か。写像・文法・言語ゲームと展開する特異な思想に迫り、哲学することの妙技と魅力を伝える。

029 カント入門　石川文康

哲学史上不朽の遺産『純粋理性批判』を中心に、その哲学の核心を平明に読み解くとともに、哲学者の内面のドラマに迫り、現代に甦る生き生きとしたカント像を描く。

071 フーコー入門　中山元

絶対的な〈真理〉という〈権力〉の鎖を解きはなち、〈別の仕方〉で考えることの可能性を提起した哲学者、フーコー。一貫した思考の歩みを明快に描きだす新鮮な入門書。

081 バタイユ入門　酒井健

西欧近代への徹底した批判者でありつづけた「死とエロチシズム」の思想家バタイユ。その豊かな情念に貫かれた思想を明快に解き明かす、若い読者のための入門書。

200 レヴィナス入門　熊野純彦

フッサールとハイデガーに学びながらも、ユダヤの伝統を継承し独自の哲学を展開したレヴィナス。収容所体験から紡ぎだされた強靭で繊細な思考をたどる初の入門書。

265 レヴィ＝ストロース入門　小田亮（まこと）

若きレヴィ＝ストロースに哲学の道を放棄させ、ブラジル奥地へと駆り立てたものは何か。現代思想に影響を与えた豊かな思考の核心を読み解く構造人類学の冒険。

ちくま新書

967
功利主義入門
――はじめての倫理学
児玉聡
「よりよい生き方のために常識やルールをきちんと考えなおす」技術としての倫理学において「功利主義」は最有力のツールである。自分で考える人のための入門書。

277
ハイデガー入門
細川亮一
二〇世紀最大の哲学書『存在と時間』の成立をめぐる謎とは？ 難解といわれるハイデガーの思考の核心を読み解き、西洋哲学が問いつづけた「存在への問い」に迫る。

301
アリストテレス入門
山口義久
論理学の基礎を築き、総合的知の枠組をつくりあげた古代ギリシア哲学の巨人。その思考の方法と核心に迫り、知の探究の軌跡をたどるアリストテレス再発見！

1182
カール・マルクス
――「資本主義」と闘った社会思想家
佐々木隆治
カール・マルクスの理論は、今なお社会変革の最強の武器であり続けている。最新の文献研究からマルクスの実像に迫ることで、その思想の核心を明らかにする。

589
デカルト入門
小林道夫
デカルトはなぜ近代哲学の父と呼ばれるのか？ 行動人としての生涯と認識論・形而上学から自然学・宇宙論におよぶ壮大な知の体系を、現代の視座から解き明かす。

776
ドゥルーズ入門
檜垣立哉
没後十年以上を経てますます注視されるドゥルーズ。哲学史的な文脈と思想的変遷を踏まえ、その豊かなイマージュと論理を読む。来るべき思想の羅針盤となる一冊。

852
ポストモダンの共産主義
――はじめは悲劇として、二度めは笑劇として
S・ジジェク
栗原百代訳
9・11と金融崩壊でくり返された、グローバル危機という掛け声に騙されるな――闘う思想家が混迷の時代を分析、資本主義の虚妄を暴き、真の変革への可能性を問う。

ちくま新書

1460
世界哲学史1
――古代I　知恵から愛知へ
[責任編集] 伊藤邦武／山内志朗／中島隆博／納富信留
人類は文明の始まりに世界と魂をどう考えたのか。古代オリエント、旧約聖書世界、ギリシアから、中国、インドまで、世界哲学が立ち現れた場に多角的に迫る。

1461
世界哲学史2
――古代II　世界哲学の成立と展開
[責任編集] 伊藤邦武／山内志朗／中島隆博／納富信留
キリスト教、仏教、儒教、ゾロアスター教、マニ教などの宗教的思考について哲学史の観点から領域横断的に検討。「善悪と超越」をテーマに、宗教的思索の起源に迫る。

1462
世界哲学史3
――中世I　超越と普遍に向けて
[責任編集] 伊藤邦武／山内志朗／中島隆博／納富信留
七世紀から一二世紀まで、ヨーロッパ、ビザンツ、イスラーム世界、中国やインド、そして日本の多様な形而上学の発展を、相互の豊かな関わりのなかで論じていく。

1463
世界哲学史4
――中世II　個人の覚醒
[責任編集] 伊藤邦武／山内志朗／中島隆博／納富信留
モンゴル帝国がユーラシアを征服し世界が一体化へと向かう中、世界哲学はいかに展開したか。天や神など超越者に還元されない「個人の覚醒」に注目し考察する。

1464
世界哲学史5
――中世III　バロックの哲学
[責任編集] 伊藤邦武／山内志朗／中島隆博／納富信留
近代西洋思想は、いかにイスラームの影響を受けたスコラ哲学によって準備され、世界へと伝播したか。中国・朝鮮・日本までを視野に入れて多面的に論じていく。

1465
世界哲学史6
――近代I　啓蒙と人間感情論
[責任編集] 伊藤邦武／山内志朗／中島隆博／納富信留
啓蒙運動が人間性の復活という目標をもっていたことを、東西の思想の具体例とその交流の歴史から浮き彫りにしつつ、一八世紀の東西の感情論へのまなざしを探る。

1534
世界哲学史 別巻
――未来をひらく
[責任編集] 伊藤邦武／山内志朗／中島隆博／納富信留
古代から現代までの『世界哲学史』全八巻を踏まえ、論じ尽くされていない論点、明らかになった新たな課題について考察し、未来の哲学の向かうべき先を考える。

ちくま新書

1404
論理的思考のコアスキル
波頭亮
ホンモノの論理的思考力を確実に習得するための決定版！ 必須のスキル「適切な言語化」「分ける・繋げる」「定量的判断」と、その具体的トレーニング方法を指南する。

847
成熟日本への進路
――「成長論」から「分配論」へ
波頭亮
日本は成長期を終え成熟フェーズに入った。旧来の成長モデルの政策も制度ももはや無効であり改革は急務である。国民が真に幸せだと思える国家ビジョンを緊急提言。

434
意識とはなにか
――〈私〉を生成する脳
茂木健一郎
物質である脳が意識を生みだすのはなぜか？ すべてを感じる存在としての〈私〉とは何ものか？ 人類に残された究極の問いに、既存の科学を超えて新境地を展開！

557
「脳」整理法
茂木健一郎
脳の特質は、不確実性に満ちた世界との交渉のなかで得た体験を整理し、新しい知恵を生む働きにある。この科学的知見をベースに上手に生きるための処方箋を示す。

377
人はなぜ「美しい」がわかるのか
橋本治
「美しい」とはどういう心の働きなのか？「合理性」や「カッコよさ」とはどう違うのか？ 日本の古典や美術に造詣の深い、活字の鉄人による「美」をめぐる人生論。

1466
世界哲学史7
――近代Ⅱ　自由と歴史的発展
［責任編集］伊藤邦武／山内志朗／中島隆博／納富信留
旧制度からの解放を求めた一九世紀の「自由の哲学」とは何か。欧米やインド、日本などでの知的営為を俯瞰し、自由の意味についての哲学的探究を広く渉猟する。

1467
世界哲学史8
――現代　グローバル時代の知
［責任編集］伊藤邦武／山内志朗／中島隆博／納富信留
西洋現代哲学、ポストモダン思想から、イスラーム、中国、日本、アフリカなど世界各地の現代哲学までを渉猟し、現代文明の危機を打開する哲学の可能性を探る。